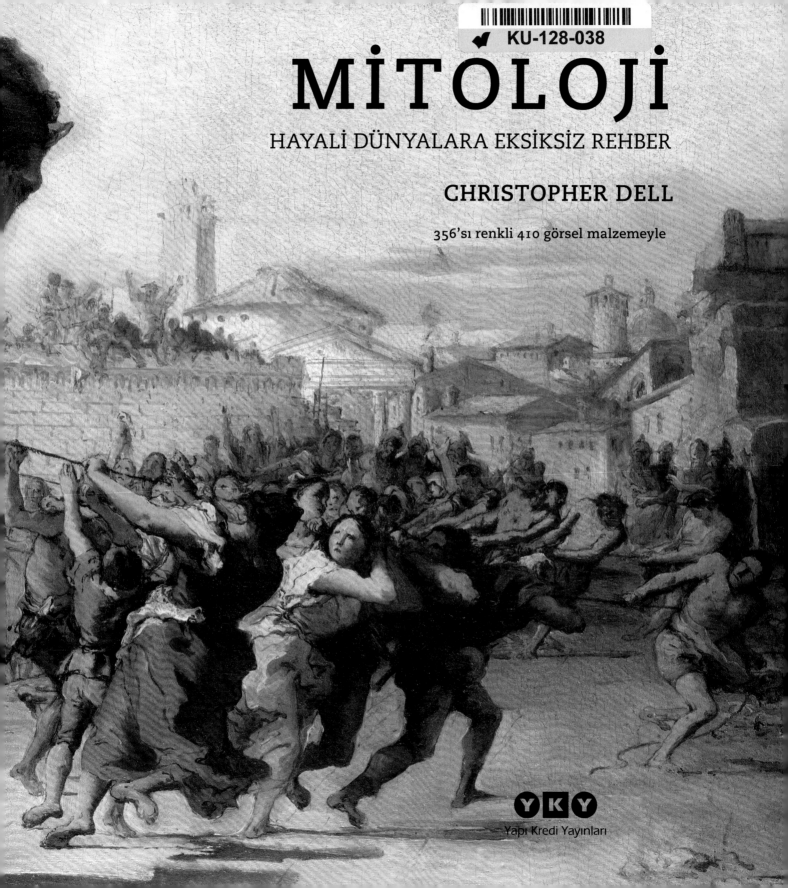

MİTOLOJİ

HAYALİ DÜNYALARA EKSİKSİZ REHBER

CHRISTOPHER DELL

356'sı renkli 410 görsel malzemeyle

KU-128-038

YKY
Yapı Kredi Yayınları

Rosa ve Alexandra İçin

İÇİNDEKİLER

BİRİNCİ SAYFA: Bir kâhinin İskandinav tanrılarının
yurdu Asgard'ı ortaya çıkarışını konu alan bir 19. yüzyıl resmi.
İKİNCİ VE ÜÇÜNCÜ SAYFA: Giovanni Domenico Tiepolo, Troya Atı'nın Kafileyle
Troya'ya Götürülüşü, yak. 1760. Ulusal Galeri, Londra.
BEŞİNCİ SAYFA: (soldan sağa) Boğa başı biçiminde bir kadim
Sümer heykeli, İÖ 3. binyıl; bir Zapotek tanrı maskı, Meksika,
İÖ 150-İS 100; bir çift başlı yılan, Meksika, İS 15.–16. yüzyıllar.

Yapı Kredi Yayınları - 4065
Sanat - 210

MİTOLOJİ - Hayali Dünyalara Eksiksiz Rehber
Christopher Dell
Özgün adı: MYTHOLOGY / THE COMPLETE GUIDE TO
OUR IMAGINED WORLDS
Çeviren: Nurettin Elhüseyni

Kitap editörü: Filiz Özdem
Düzelti: Ömer Şişman
Grafik uygulama: Yapı Kredi Kültür Sanat Yayıncılık

Baskı: C&C Offset Printing, Çin

(Bu kitabın ilk baskısı Mart 2014 tarihinde ciltli özel baskı olarak
ISBN 978-975-08-2665-5 numarasıyla yayımlanmıştır.)
1. baskı: İstanbul, Aralık 2017
ISBN: 978-975-08-4078-4

Thames & Hudson Ltd, Londra izni ile yayımlanmıştır.

© Yapı Kredi Kültür Sanat Yayıncılık Ticaret ve Sanayi A.Ş., 2012
Sertifika No: 12334
Copyright © 2012 Christopher Dell

Her hakkı saklıdır. Bu yayının hiçbir bölümü, herhangi bir biçimde ya da
elektronik veya mekanik, fotokopi, kayıt ya da diğer bilgi depolama ve
yeniden düzenleme sistemleri gibi herhangi bir yöntemle, önceden
yayıncının izni olmaksızın çoğaltılamaz ya da aktarılamaz.

Yapı Kredi Kültür Sanat Yayıncılık Ticaret ve Sanayi A.Ş.
İstiklal Caddesi No: 161 34433 Beyoğlu / İstanbul
Telefon: (0212) 252 47 00 Faks: (0212) 293 07 23
http://www.ykykultur.com.tr
e-posta: ykykultur@ykykultur.com.tr
İnternet satış adresi: http://alisveris.yapikredi.com.tr

Yapı Kredi Kültür Sanat Yayıncılık
PEN International Publishers Circle üyesidir.

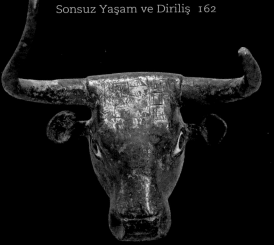
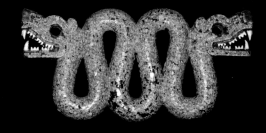

GİRİŞ

"Mit yaşamın temelidir; yaşamın bilinçaltı bir itkiyle
kendi özelliklerini yeniden üretirken içine aktığı
zamandışı kalıp, inanca dayalı formüldür."

THOMAS MANN

Hikâye anlatma arzusu insanlık halinin temel bir unsurudur. Çevremize anlam verme ve şeylerin kökenini anlama yönünde içten gelen ihtiyaçla eşleştiğinde, ortaya çıkan sonuç mitolojidir. Bu saptama, mitlerin asıl odağının insanoğlu olduğu anlamına gelmez. Aksine, mitlerin gerçek çekiciliği dünyaları yaratan, dağlara şekil veren, yıldızları düzenleyen ve okyanusları dolduran hayat dolu, olağanüstü tanrılarda yatar. Tanrılar doğal manzarayı yarattıktan sonra, içini insanlarla ve diğer hayvanlarla şenlendirmeye girişerek, insanoğluna uygarlığın armağanlarını bağışlar ve dünyamızın temel doğal yasalarını ortaya koyar.

Bu hikâyelerin evrensel ve zamandışı oluşu mitolojiye ilgimizin sürmesinden bellidir. Her kuşak Theseus'un Minotauros'la kavgasına ilişkin hikâyelerden, Gılgamış'ın kahramanlıklarından ya da büyük Hint destanı *Mahabharata*'da anlatılan olaylardan kendince hoşlanır. Thor günümüzde Hollywood filmlerinin yıldızıdır ve Kral Arthur efsanesi başlı başına bir sektör doğurmuştur. Bu ilginin ardında yatan sebeplerden biri, mitolojilerin tam da insana özgü duygularla dolup taşmasıdır: Aşk ve nefret, cesaret ve aptallık, kötülük ve iyilik. D. H. Lawrence miti, "amacı çok derinde yatan, ruhun ta derinlerine inen bütün bir insan tecrübesini akla uygun açıklama ya da tanımlama sunacak şekilde anlatma girişimi" olarak tarif eder.

Lawrence'ın işaret ettiği gibi, mitler nadiren bir eğlence biçiminden ibarettir. Düz anlatıdan daha zorunlu, daha önemlidir: İnsanlığı köklerine geri götüren unsurları barındırır. Mitolojinin önemli bir kısmı kozmogonidir, yani evrenin nasıl oluştuğuna ilişkin bir açıklamadır. Söze "Başlangıçta" diye giren *Eski Ahit* gibi, çoğu mitoloji de dünyanın var olmadığı bir zamanı, düzenden önceki düzensizliği tasarlar. Mitler iyi ve kötü, güneşin (görünüşteki) devinimi, mevsimlerin değişimi ve

SOLDA Yıldızlar mitolojiyle yakından
ilişkilidir. Burada görülen garip
varlıkların on iki burçla bir ilgisi vardır.
YUKARIDA Pandora miti, insanların
taşıdığı bütün kusurlarla nasıl insan
haline geldiğini açıklar.

YUKARIDA *Poseidon'un oğlu kahraman Theseus, fani ve ilahi dünya arasında gidip gelir. Burada Amphitrite'nin (oturan figür) sualtı sarayını ziyaret ediyor.*
AŞAĞIDA *Ruhlara yeraltına giderken yol gösteren Aztek ölüm tanrısı Xolotl.*

cinsiyetler arasındaki farklılıklar gibi temel kavramları açıklığa kavuşturmaya çalışır; dağların ve nehirlerin kökenini açıklamak için yerel mitlere başvurulur. Günümüze ulaşmış en eski mitolojik metinlerden *Gılgamış Destanı*, yılanların niçin deri değiştirdiği ve bırakılan gömleğin niçin kokuştuğu gibi gizemli konulara dönük kavrayışlar sunar.

Bütün mitlerin özünde daha yüce bir bilgiyi, belki de dünyaya nasıl ve niçin geldiğimiz gerçeğini saklayan bir doğaüstü dünya anlayışı yatar. Tanrıların özel alanı olan bu doğaüstü dünyaya insan ancak nadiren kabul edilir. Evrenin ortaya çıkmasını sağlayan ve çoğu kez insanları kendi elleriyle oluşturan bu tanrılar, dünya mitolojilerinde merkezi yer tutar. Yunan filozofu Ksenophanes İÖ 5. yüzyılda bütün varlıkların tanrıları kendi suretlerinde yarattıklarını öne sürmüştü; Yunan mitolojisindeki tanrıların ağız dalaşlarıyla, ufak kıskançlıklarıyla ve sakıncalı gönül ilişkileriyle kesinkes insan davranışını yansıttığı açıktır.

Ne var ki, bugün bize silik ve uzak bir rol gibi görünse de, bütün diğer tanrılar gibi Yunan tanrılarının da önemli bir dinsel işlev gördüğünü unutmamak gerekir. Mit ve din arasındaki ayrım çizgisi ince olmakla birlikte göz ardı edilemez. Ömrünü karşılaştırmalı din araştırmasına vermiş Amerikalı uzman Joseph Campbell, "Mitoloji başkasının dinine verdiğimiz addır" diye yazar. Mark Twain, *Kitabı Mukaddes'i* "bir fabllar ve gelenekler yığını, sırf mitoloji" diye nitelendirmişti. Antik ve modern din arasında ayrım yapmaya çalışan 19. yüzyılın İskoçyalı *Kitabı Mukaddes* uzmanı William Robertson Smith'e göre, modern din inanç üzerine, antik din ise ayin üzerine kuruludur. Aslında, ilişki daha çapraşıktır, ama "din"in üstün bir makamca uygun bulunmuş ve hatta ilahi takdirle buyurulmuş belirli bir hikâye ya da olay dizisine samimi bir inancı ima ettiği ileri sürülebilir. Bu esastan kaynaklanan ayin, inananların zihninde inancın kilit hususlarını pekiştiren hikâyeleri canlı tutar.

Din ile mitoloji arasındaki ayrımı özetlemenin belki de en iyi yolu, bugünün dinini yarının mitolojisi olarak nitelendirmektir. Ne de olsa, antik Yunanlar tanrılarına taparken ve kurbanlar sunarken, onların etrafında örülen hikâyeler, toplumun işleyişinde temel öneme sahip ahlaki mesajlar içerirdi. İnsanların belirli bir mitolojiye hararetle inanmaları, buna karşılık başka birine yekten karşı çıkmaları düpedüz bizi insan yapan şeyin parçasıdır. Mitoloji üzerine her kitap geniş yelpazeli Kuzey Amerika Yerli inançlarının ve (örneğin Japonya, Çin, Kore ve Avustralya'da) hâlâ geniş kesimlerce benimsenen çeşitli yerel folklorların yanı sıra, Budizm, Hıristiyanlık, İslam ve Hinduizm gibi yaşayan dinlere özgü unsurlar üzerinde durur. Böyle inançları mitoloji bağlamında ele almanın, gerçekdışı oldukları anlamına gelmediğini belirtmek önemlidir; asıl nokta bunların birçok bakımdan daha geniş temaları, insan doğası hakkında önemli bir şey söyleyen temaları yansıtmalarıdır. Evrensel düzeyde ortakmış gibi görünen özveri, bakire anneden doğma, ermişlik, ejderha ve cin hikâyeleri iyi örneklerdir. Yaşayan dinlerin önemli yönlerini gözden kaçırmak, eksik bir resim sunmak olur.

Bu kitabın mitolojiyle ilgili diğer birçok araştırmadan farklılığı, bütün başlıca mitoloji geleneklerini yan yana ele almasıdır: Kelt, Yunan-Roma, İskandinav, Budist, Doğu, Amerika Yerlisi, Orta ve Güney Amerika, Yakındoğu ve Afrika. Kolaylık sağlayan bu kategoriler bazen (çatışmaya açık) birçok çizgiyi gizler: Çin, Japonya ve Kore'deki üç "Doğu" mitolojisi kilit alanlarda farklılıklar gösterirken, "Afrika" terimi yüzlerce ayrı geleneği bir araya getirir. Benzer şekilde, Roma mitolojisi açıkça Yunan mitolojisine dayansa da, bu ilişki çoğu kez sırf Zeus'un yerine Jüpiter'i ve Artemis'in yerine Diana'yı geçirmenin ötesinde bir çapraşıklık taşır.

Mitolojilerin en temel tecrübelerimize hitap etmesi nedeniyle, farklı mitoloji gelenekleri sıklıkla örtüşür. Mitler fetih ve ticaret yoluyla da yayılır. Örneğin, Kelt mitolojisinin daha geniş kapsamlı Hint-Avrupa kültüründen gelişmesi üzerine epeyce şey yazılmıştır; Keltlerin Roma etkisine girene kadar kendi tanrılarının suretlerini nadiren yaptıkları da doğrudur. Bu bağlantılardan dolayı, elinizdeki kitap okurun karşılaştırmalar yapmasını sağlamak üzere, kültürden ziyade temaya göre düzenlenmiştir. Mitlerin gelişimini kronolojik olarak izlemek yerine, dünyanın çeşitli yerlerinde görüldüğü biçimiyle yinelenen motifleri irdelemektedir; bu motifler, kan gibi simgesel nesnelerin anlamından, farklı mitolojilerin kökenimizi açıklama biçimine kadar uzanır.

Farklı mitoloji gelenekleri arasında bellibaşlı çarpıcı benzerliklerin bulunması, kaçınılmaz olarak bazı uzmanları kültürel ya da psikolojik bir ortak köken taşıdıklarını varsaymaya yöneltmiştir. Henüz 19. yüzyılda yazarlar bu ortak unsurlara daha yakından bakmaya başladılar; ancak vardıkları sonuçlar bazen kendi ilgi alanlarına uydurulacak hale getirildi. Bir örnek vermek gerekirse, Mezopotamya yaratılış miti *Enuma Eliş*'in ilk İngilizce çevirisi, tufan hikâyesine yer vermesinden dolayı "Yaratılışın Kalde Anlatımı" alt başlığını taşır.

YUKARIDA *Horus Gözü biçimindeki bu Mısır nazarlığı, insanların tanrıları kendi suretlerinde tasvir ettiğini gösterir.* AŞAĞIDA *Geceleyin gökyüzü çeşitli mitolojik hikâyelerin ana hatlarını barındırır.*

YUKARIDA *Büyük Tufan birçok farklı kültürde rastlanan bir ilkörnek mittir. (Nuh burada gemisinin içinde görülüyor.)*
AŞAĞIDA *Bir babun kılığındaki Mısır tanrısı Thoth insanlara yazmayı öğretiyor.*

Dolayısıyla ilkörnek (yinelenen motif, evrensel hikâye) kavramı merkezi önemdedir. J. P. Frazer'ın ilk baskısı 1890'da çıkan *Altın Dal* kitabı, yaygın olarak bu alandaki çığır açıcı eser sayılır. Kitabevi raflarına girince yayın dünyasında büyük yankı uyandırsa bile, dayandığı yöntemlere ilişkin çekinceleri olan akademisyenler arasında kısa sürede gözden düştü. Bununla birlikte, Frazer'ın dünya genelindeki yüzlerce miti ve inancı kapsayan zahmetli analizi, sonraki uzman kuşaklarına zemin hazırladı, konuya daha bilimsel ve antropolojik bir yaklaşımı özendirdi. (İşin ilginç tarafı, bu eser ilk yayımlandığında bazı karalamalarla karşılaştı; çünkü daha "ilkel" çeşitli dinlerin yanında Mesih üzerine bir değerlendirmeye yer vererek, Hıristiyanlığı basbayağı mit statüsü "derekesine düşürme"ye cüret etmişti.) Psikanalist Carl Gustav Jung da mitleri bütün insanlarca paylaşılan bir kolektif bilinçaltının olası yansımaları olarak araştırdı.

Karşılaştırmalı mitoloji alanında en sık değinilen kaynak ise Joseph Campbell'ın *Bin Suratlı Kahraman* (1949) kitabıdır. Campbell bu son derece etkili kitapta bütün kahramanlık mitlerinin "monomit" adını verdiği bir ortak ataya dayandığı fikrini irdeleyerek, her kahramanın geçtiği yolu ortaya koyar. Günümüzde bu yaklaşım gözden düşmüş olsa da, mitolojinin bazı ortak mecazları yadsınamaz biçimde barındırdığı gerçeği ortadadır. Mecazlardan bazılarının açıklanması zor değildir: Aztek, Hıristiyan ve Güney Afrika San kültürlerinde kanın simgesel önemi, bütün damarlarımızda kanın akmasıyla kolayca açıklanabilir. Peki, Nuh Tufanı'nın Deukalion'la ve Gılgamış'la ilişkilendirilen tufanlarla benzerliklerine ne diyeceğiz? Hepsinde ilahi varlık ya da varlıklar, insanoğlunu günahkâr ya da asap bozucu bulduğu için ortadan kaldırmaya karar verir. Gökkuşağı Antikçağ'da basit açıklamayı dayatmakla birlikte güçlük çıkaran dikkat çekici bir olgudur. Dünyanın her yanında altın, insanları büyülemiş gibidir. Bakire anneden doğmaya ilişkin hikâyelere sıklıkla rastlanır ve ikizlere çoğu kez özel anlam yüklenir. Kardeş çekişmesi ha bire karşımıza çıkar. Bu belki de bize, mitlerin basbayağı kahramanlık düzeyine çıkarılmış günlük yaşam olduğunu anlatır. Nihayetinde erkek ya da kız kardeşiyle bozuşmamış kimse var mıdır ki?

Mitolojinin siyasal ya da pragmatik değerini göz ardı etmemeliyiz. Kalevala mit döngüsü ilk kez 19. yüzyılda Fin milliyetçiliğine destek vermek için derlendi. Nijerya'nın Yoruba halkı mitolojiyi, dinsel inançları, şarkıları ve tarihi kucaklayıcı kolektif bir ad olan *itan* kavramına uyuşmazlıkları çözmede bugün hâlâ başvurur. Bu da mitolojinin çok gerçek hale geldiği noktadır. Bazıları *Eski Ahit*'teki Nuh'un Gemisi hikâyesini tamamen mitolojik bulurken, diğerleri kelimesi kelimesine doğru sayar.

Aynen dinde olduğu gibi, mitolojide de tam katılık enderdir. Örneğin, Yunan mitolojisi insanlığın başlangıcına ilişkin birden fazla anlatıma yer verir. Olayların akış sırası her yeniden anlatışta, sürekli bir yeniden yaratımla değişir. Belki iki binyıllık bir dönemde gelişen Mezopotamya mitolojisi benzer şekilde zamanla değişkenlik gösterir; belirli kentlerdeki belirli tanrılara öncelik verilir. Çin ve Japonya'da mitin ve tarihsel gerçeğin sürekli bir bulanıklıkla iç içe geçtiğini görürüz; aslında, bu ülkelerin ilk tarihçileri, ikisi arasında hiç ayrım yapmamıştır. Yaşadığı neredeyse kesin imparatorlara değinilirken, onlara yakıştırılan işlerden birçoğunun yapılmış olması pek akla yakın değildir.

Hıristiyanlar yüzyıllar sonra kendi dinlerinin ipuçlarını pagan mitlerinde aramıştır. İskandinav mitleri açıkça Hıristiyan mitinin unsurlarını barındırır; en azından Hıristiyan cehenneminin İngilizce adı İskandinav tanrıçası Hel'den gelir. Mitleri belirgin, bağımsız geleneklere ayırmaya çalışmamıza karşın, işin gerçeği, sürekli evrim geçirerek birbirlerine karıştıklarıdır ya da en azından geçmişte durumun böyle olduğudur. En ilginç örneklerden biri Japonya'daki rüzgâr tanrılarının genellikle rüzgâr torbaları taşır halde tasvir edilmesi geleneğidir. Aynı motif antik Yunan mitolojisinde görülür ve Büyük İskender'in fetihleriyle Uzakdoğu'ya ulaştığı neredeyse kesindir. Hayal gücüne çekici gelen iyi bir tasarının zihinde uzun süre kalması mümkündür.

YUKARIDA *İskandinav mitolojik evreninin bu hayali görüntüsü, çeşitli kaynaklardan parçaların bir araya getirilmesiyle oluşturulmuştur. Mitolojilerde katılık enderdir.*
AŞAĞIDA *Kelt mitolojisine ilişkin anlayışımız çoğunlukla Demir Çağı'na ait Gundestrup Kazanı gibi eşyalara dayanır.*

Farklı mitolojilerin değişen ölçülerde belgelere dayanması kafa karışıklığını artıran bir etkendir. Klasik mitolojiyle ilgili olarak elimizde geniş bir yazılı ve sanatsal kaynak zenginliği varken, Mezopotamya mitolojisi ancak dağınık metinler halinde mevcuttur. Binlerce yıllık kadim Mısır kültüründen günümüze muazzam miktarda insan eseri ulaşmasına karşın, Mısır mitolojisi hakkındaki bilgilerimiz hayli sınırlıdır ve bildiğimiz şeylerin büyük bölümü çok sonraki Yunan ve Roma kaynaklarına dayanır. Günümüze hemen hiçbir metnin ya da yazıtın ulaşmaması nedeniyle, Kelt mitolojisi belki de en anlaşılmaz mitolojidir; bir zamanların bu pan-Avrupa kültürüne dair bize fikir veren yegâne kaynak İrlanda ve Gal mitleridir. Afrika mitolojisi neredeyse tamamen sözlü geleneklere dayandığından, benzer şekilde karanlıkta kalmıştır. İskandinav mitlerine, Thor ve Odin, Midgard Yılanı ve Valhalla hikâyelerine ilişkin anlayışımız neredeyse tamamen İzlandalı yazar Snorri Sturluson'un sözlü gelenekten derlediği 13. yüzyıldan kalma *Manzum Edda* ve *Nesir Edda* kitaplarına bağlıdır.

Peki, ya günümüzün mitleri? Artık yeni mitlere yer var mı? Yoksa bilimin çok ağır bastığı bir toplumda mı yaşıyoruz? İki bin yıl sonra arkeologlar 20. yüzyıl sonlarının ve 21. yüzyıl başlarının en önemli mitinin *Yıldız Savaşları* olduğu sonucuna varabilir; oradaki karakterler küçük heykelciklerle ölümsüzleştirilmiş ve başardıkları işler birçok kitapta ayrıntılı işlenmiştir. Dahası, bu hikâyelerin ipuçlarına dünya genelinde rastlanacaktır. Arkeologlar anlatının geleneğe uygun ve geleneğe aykırı unsurlardan oluştuğu sonucunu bile çıkarabilir.

Böylesine aylakça derin düşünceler önemli bir noktayı gizler. George Lucas *Yıldız Savaşları*'na etkide bulunan başlıca kaynaklardan birinin Campbell'ın *Bin Suratlı Kahraman* kitabı olduğunu açıkça belirtmiştir. Üstelik *Yıldız Savaşları* bu kitapta ele alınan ilkörneklerden birçoğuna yer verir: Doğumda ayrılan ikizler, bedel ödeme, özveri, arayış, iyi ile kötü arasındaki çatışma, saklı kentler, sırlar ve elbette kahramanın ya da kahramanların düzenli aralıklarla peşine düştüğü bir sürü canavar. Ayrıca Luke Skywalker adlı kahramanın, kaderini kabullenerek, sonunda babasını öldürmesi ve bir kehaneti doğrulaması açısından, bilginin peyderpey ortaya çıkışı unsuru da vardır.

Elinizdeki kitap, gözümüzde mitleri böylesine ilginç kılan şeyi irdelemeye yönelik sekiz bölüme ayrılmıştır. Her türden mitolojinin temelini oluşturan doğaüstü dünyaya dönük bir araştırmayla başlayarak, kökenini, içindeki çeşitli varlık çeşitlerini ve insan dünyasıyla etkileşimini inceliyor. (Bu ilişki mitoloji için merkezi önemdedir, çünkü mitleri çok çekici kılan büyüyü ve öngörülemezliği doğaüstü unsur sağlar.)

İkinci bölüm dünya coğrafyasını ve topolojisini açıklamak için mitolojiye nasıl başvurulduğunu gözden geçiriyor. Kökenimize ve gelişimimize ilişkin hikâyeleri irdeleyen sonraki iki bölümde insanlar kilit yer tutuyor. Bunu, mitte hayvanların önemli rolü ve simgesel malzemeler, cisimler ve nesneler üzerine birer bölüm izliyor. (Aynı nesnelerin değişik kültürlerde farklı anlamlara nasıl büründüğünü görmek etkileyicidir.) Son iki bölüm ise mitoloji kahramanlarına ve hayati arayışlarından bazılarına daha derinlemesine bakıyor.

Bu kitap, mitolojiyi esasen dünyanın her yanından toplanmış imgeler aracılığıyla ele alıyor. Bu imgeler bazen (sözgelimi antik Yunan vazoları, Mezopotamya heykelcikleri, Ortaçağ yazmaları, ipek üstüne yapılmış Çin resimleri gibi) yansıtılan inançlarla aynı dönemlerden kalmadır, bazen de çok sonraki dönemlere aittir. Söz konusu durum, konuyla ilgili kitapların sayısına şöyle bir bakıldığında görüleceği üzere, çok canlı bir şey olan mitolojinin doğasına uygundur. Ortaçağ yazmalarında antik mitoloji sahnelerinin tasvir edildiğini görmek ilginçtir ve mitin ilham vermedeki kalıcı gücünü yansıtır niteliktedir; hikâyelerin aktarılıp yeniden yaratıldığı bu sürece gündelik varoluşumuza ilave bir büyü katmanı eklenir.

SOLDA *Budist ölüm tanrısı Yama'nın sıkıca tuttuğu Yaşam Çarkı'nın altı kesiti tanrıları, Titan'ları, insanları, hayvanları, aç hortlakları ve cinleri temsil eder.*
YUKARIDA *Hindu tanrısı Hanuman can çekişen efendisine bir dağ taşıyor.*
AŞAĞIDA *Vişnu'nun Burma versiyonu, binek hayvanı Garuda'nın üstünde görülüyor.*

1

DOĞAÜSTÜ
IIIIIIIIIIIIIIIIIIIIIIIIIIIIIIIIIIIIIIIIIIIIIIIIIIIIIIII

DÜNYA
IIIIIIIIIIIIIIIIIIIIIIIIIIIIIIIIII

Bütün dünya mitolojilerinin özünde maddi gündelik yaşamımızın ötesindeki bir doğaüstü dünyaya inanç yatar. Bu "öbür dünya" genellikle insanoğlundan eskidir ve bütün varlığın kaynağıdır; evrene hayat verir ve varlığımıza anlam katar. Her mitolojinin temelini birlikte oluşturan tanrıları, canavarları ve büyüyü doğuran, işte bu doğaüstü dünyadır.

Mitolojilerin hemen hepsi kozmolojiyle, yani evrenimizin nereden geldiğiyle, nasıl ortaya çıktığıyla, hatta nasıl son bulabileceğiyle ilgilidir. Çoğu mitolojide evren çeşitli katmanlara ayrılır. Tipik ayrım üç katmandır: Tanrıların diyarı (çoğu kez "cennet" olarak anılır); insanların yaşadığı yeryüzü; bir tür yeraltı (çoğu kez "cehennem" olarak anılır). Başta Mezopotamya ve Yunan olmak üzere birçok eski geleneğe göre, bu kademeler evrenin ilk hali kaostan doğmuştur ve bizzat tanrılar esas alınarak şekillendirilmiştir. Örneğin, Yunan mitinde gökyüzü Aither, yeryüzü Gaia ve yeraltı Tartaros olarak anılır – hem tanrı, hem de konum anlamına gelen adlardır bunlar. Başka mitolojiler fazladan katmanlar eklemiştir: Örneğin, İskandinav hikâyelerinde devasa ağaç Yggdrasil'in çevresinde düzenlenmiş dokuz dünya vardır. Buna karşılık, Nijeryalı Yorubalar sırf maddi (aiye) ve görünmez (orun) dünyalar arasında bir ayrıma gitmiştir.

Evrenin üst ve alt katmanlarında genellikle tanrılar oturur; buralar insanlar için (en azından sağ oldukları sürece) erişilmezdir. Tanrı pantheonları neredeyse bütün mitolojilerin ortak özelliğidir. Çoğu durumda bir tanrının kaba kuvvet, hile ya da üstün zekâ sayesinde diğerlerinden daha güçlü hale gelişinin anlatıldığı hikâyeler vardır. Bu tanrı, antik Yunan mitolojisinde Zeus (Romalıların verdiği adla Jüpiter), İskandinav mitolojisinde Odin'di. Yaşadıkları bölge aşağı yukarı bugünkü Irak'a denk düşen kadim Mezopotamyalıların baş tanrısı ise, temelde ortak bir mitolojiyi paylaşmalarına karşın, kentten kente değişirdi.

ÖNCEKİ SAYFA
Evrenin ayrı dünyalara bölünüşü, Francesco Botticini'nin Meryem'in Göğe Yükselişi tablosunda açıkça görülüyor.
SOLDA *Yunan tanrılarının önderi Zeus yıldırımlarını savuruyor.*
YUKARIDA VE SAĞDA *Gökyüzü hemen her zaman insanlara yasaktır. Burada İkaros ve Phaethon uçmaya çalıştıktan sonra dünyaya düşüyor.*

İkincil konumdaki tanrılar da birçok önemli rol üstlenirdi. Bunların sayısı çoğu kez fazlaydı; örneğin, Azteklerin her biri farklı işlev gören yüzlerce tanrısı vardı. Neredeyse bütün pantheonlarda temel insan ihtiyaçlarıyla ilgili figürler yer alırdı: Aşk, bereket, müzik, sanat, yağış, doğum ve tarım, ayrıca savaş.

Birçok tanrıda belirgin insan özellikleri görülür. Ufak da olsa kıskançlık gösterirler ve ağız dalaşına girerler. Kardeşler (Zeus ve kardeşleri örneğinde olduğu gibi) bozuşur, çocuklar ebeveynlerine başkaldırır ve bazı gaddar ebeveynler kendi çocuklarını yutar. Ara sıra bir ya da birkaç küçük ilah, baş tanrının otoritesine kafa tutmaya kalkışır ve bu da gökyüzünde bir kavgaya yol açar. (Çoğu tanrı için savaş ve çatışma gündelik olaylardır.) Tektanrıcı Hıristiyanlıkta bile Şeytan adlı melek, Tanrı'ya meydan okur ve cehenneme atılarak cezalandırılır.

Tanrıların yanı sıra bazıları ilahi doğaya sahip ve oyunbazlık rolüne soyunan varlıklar bulunur. Amerika Yerli masallarındaki Çakal, İskandinav mitindeki Loki ve Polinezya geleneklerindeki Maui bazen destek, bazen de köstek olan, ama çoğu kez mitolojik hikâyelere şenlik katan öngörülemez karakterlerin örnekleridir.

Vahşi kaosun timsalleri olan canavarlar daha tehlikelidir: Bir örnek vermek gerekirse, İskandinav tanrıları sürekli Buz Devler'le kavgaya tutuşur. Ancak çoğu durumda tanrılar kararsızlık yaratıcı bu unsurları (çoğu kez kahramanların yardımıyla) alt eder ve düzen yeniden kurulur. Ayrıca, neredeyse bütün mitolojiler ne tam ilah ne de tam insan olan yaratıklar barındırır. İlahi kıvılcımın ucunu temsil eden bu yaratıklar arasında cinler, melekler, devler, cüceler, troll'lar, *dryas*'lar, periler vb sayılabilir. Listeye sanatçıların ilham ararken yöneldiği klasik çağdaki Musa'lar ya da kader timsali Moira'lar gibi varlıklar eklenebilir.

Gökyüzü, tanrıların yanı sıra güneşi, ayı ve yıldızları barındırır. Yunan mitolojisi yıldızları küçük ilahların ve insanların ölümsüzleştirilmiş kalıntıları olarak açıklar; güneş, savaş arabasını süren Helios, ay ise Selene olarak kişileştirilir. Aztekler hayat getiren güneşe, gökyüzünün kralı sıfatıyla hüküm süren Tonatiuh olarak tapardı. Çoğu kez bir altın kursla simgelenen güneş ilah, anlaşılır şekilde birçok kozmolojinin ortak unsurudur; Germen efsanesindeki Sol'dan Hindu tanrısı Surya'ya ve çeşitli kadim Mısır tanrılarında bu özellik görülür.

Yıldızların görünüşteki deviniminin ve ayın evrelerinin farkına varan insanlar, evrene anlam vermek, hatta geleceği önceden görmek için gezegenleri incelediler. İklim olgularını açıklamak için de gökyüzüne baktılar. Fırtına tanrıları özellikle güçlü görülür: İskandinav mitolojisinde Thor, Yunan mitolojisinde Zeus, Hindu mitolojisinde İndra, Yoruba mitolojisinde Şango ve Kelt mitolojisinde Taranis. Amerika Yerlilerine göre, Gürleyen Kuş'un kanatlarını çırpması gök gürlemesine yol açar. Çin inanışına göre, Lei Gong tokmakla bir davulu çalarak göğü gürletir.

Fırtınanın zıddı olan gökkuşağı çoğu mitolojide barışın bir işareti ya da bir köprü olarak görülür. Hindu efsanesine göre, İndra'nın yıldırım fırlatmak için kullandığı yaydır. Bu arada *Gılgamış Destanı*'nda Ulu Ana İştar'ın insanlığı yok eden Büyük Tufan'ın anısına taktığı gerdanlık olarak nitelendirilir; *Eski Ahit*'te yine Büyük Tufan sonrasında Tanrı'nın insanla ahdine işaret eder. Antik Yunan inancında yeryüzünü ve gökyüzünü birbirine bağlayan İris'in köprüsü sayılırken, İskandinav mitolojisinde Asgard (gökyüzü) ve Midgard (yeryüzü) dünyalarını birbirine bağlayan Bifröst olarak anılır. Gökkuşağı, bir bakıma, bütün mitoloji için kusursuz metafordur. Dünyevi çevremiz ile göksel güçlerin gizemli işleyişi arasında bir zihinsel bağlantıdır.

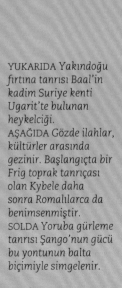

YUKARIDA *Yakındoğu fırtına tanrısı Baal'in kadim Suriye kenti Ugarit'te bulunan heykelciği.*
AŞAĞIDA *Gözde ilahlar, kültürler arasında gezinir. Başlangıçta bir Frig toprak tanrıçası olan Kybele daha sonra Romalılarca da benimsenmiştir.*
SOLDA *Yoruba gürleme tanrısı Şango'nun gücü bu yontunun balta biçimiyle simgelenir.*

Kaostan Doğanlar

Bütün yaratılış mitleri bugün bildiğimiz haliyle gezegenlerden ve yıldızlardan oluşan evrenin dengeye ulaşmadan önceki halini açıklamaya çalışır. Cevap birçok durumda kaostur, yani evrenin cismen ayrışmamış ve karışık halde olduğu bir zamandır.

Çin mitolojisinde evren *yin* ve *yang* ikiliğine dönüşen şekilsiz bir buhar bulutu olarak başlar. Sonraki mitler, buharı dev bir yumurtanın içine yerleştirir; bu şekilsizliğin ortasında yaratıcı Pan Gu uyur. Onun bir gün yumurtayı kırıp açmasıyla, açık renkli kısım yukarıya uçarak gökyüzünü, koyu renkli kısım ise dibe batarak yeryüzünü oluşturur.

Pan Gu hikâyesi Brahma'nın bir altın yumurtadan çıkarak dünyayı yaratışını konu alan Hindu mitiyle ilişkilidir. Kadim Mısırlılara göre ise kaosun suları ayrışarak gökyüzünü, yeryüzünü ve yeraltını oluşturur.

Antik Yunanca kökenli bir kelime olan kaos (*khaos*) ilk evrenin içi boş, şekilsiz hali anlamına gelir. Hesiodos'un İÖ yak. 700'de yazdığı *Theogonia*'ya göre, kaostan Gaia (dünya), Eros (arzu), Erebos (karanlık), Nyks (gece) ve Tartaros (yeraltı) doğar. Bunlar da evrenin Uranos (gök), Aither (üst gök) ve gündüz gibi diğer temel yapıtaşlarını oluşturur. Yaratılış hikâyesinin başka bir versiyonuna göre, her şey kaostan kendi kendine doğan bir tanrıçanın bıraktığı yumurtayla ortaya çıkar. Mezopotamya'da Marduk, kaosun kişileşmiş bir hali olan canavar Tiamat'ı alt ederek, düzeni ve insan toplumunu kurar.

Düzensizlik yine de uçlarda varlığını sürdürür. Örneğin, Mısır tanrısı Ra, kaos yılanı Apep'le her gün savaşırken, Yunan tanrılarının evi Olympos Dağı, azgın Devler'in (Gigantes) saldırısına uğrar.

AŞAĞIDA SOLDA *Kaosu düzene dönüştüren ilk Çin tanrısı Pan Gu.*
AŞAĞIDA *Mısır tanrısı Ptah'ın bir çömlekçi çarkında dünya-yumurtasına şekil verişi.*
SAĞDA *Bu Ortaçağ Fransızca yazmasında* Kitabı Mukaddes *Tanrı'sının kaosa geometriyle düzen getirişi tasvir ediliyor.*

YUKARIDA *Bernard Picart'ın başlangıçtaki kaosu konu alan tasvirinde burçlar bir girdap halinde dönüyor.*
SAĞDA *Kaos yaratıkları Devler, Olympos Dağı'na baskın düzenlemek için kayalar yığıyor.*

Pantheonlar

Çoğu mitolojik sistem çoktanrıcıdır ve birçok tanrıdan oluşan bir pantheon barındırır. Genellikle bir ilk tanrı başka ilahlar doğurur ve bunlar (çoğu kez ensest yoluyla) yeni kuşaklara hayat verir. Zamanla görev dağılımı yapılır ve farklı tanrılar deniz, savaş, bereket, güneş, ay vb için sorumluluk üstlenir.

Örneğin, antik Yunan mitolojisinin ana pantheonu, Olympos Dağı'nda yaşadıkları için "Olymposlular" olarak anılan tanrıları kapsar; bunlar arasında on iki ana ilahın (Zeus, Hera, Poseidon, Demeter, Athena, Dionysos, Apollon, Artemis, Ares, Aphrodite, Hephaistos ve Hermes) yanı sıra yüzlerce küçük tanrı ve yarı-tanrı yer alır. Mezopotamya pantheonu ise Marduk ve Enlil gibi belli tanrıların evrensel olmasına karşın, kentten kente değişir. Mısır pantheonu da firavunların tercihine göre değişkenlik gösterir; ancak Osiris, İsis ve Horus ana üçlüsü hep aynı konumda kalır.

Ana İskandinav tanrıları Aesir olarak bilinir ve sayısı neredeyse yüze varan başka tanrılarla birlikte Odin, Thor, Freyr, Idunn ve Heimdallr'ı kapsar. Hindu pantheonu üç kilit tanrı Brahma, Vişnu ve Şiva'nın (bkz. s. 30) yörüngesinde dönmekle birlikte, deva ve devi olarak anılan yüzlerce küçük ilahı da içine alır.

İnsanüstü güçlerine karşın, tanrıların çoğu insan biçimi (ve çoğu kez insani kusurları) taşır. Bazılarının almaşık biçimleri vardır. Hindu tanrılarının birçok avatar'ı olabilir, kadim Meksika ve Güney Amerika tanrıları ise hem insan biçimine, hem de çeşitli hayvan ya da bitki kisvelerine bürünür. Aynı şey pantheonları kabileden kabileye çok büyük değişkenlik gösteren Amerika Yerli tanrıları ve Avustralya Yerli tanrıları için de geçerlidir.

SOLDA Yunan pantheonu zevklerinden geri kalmazdı. Olympos'taki bu toplantı bir aile buluşmasını andırıyor.
YUKARIDA Her biri hayatın farklı yönlerinden sorumlu Tibet hayvan tanrıları dizisi.

İskandinav mitolojisinin ilahları: Arkada güneş, ay,
Tuisco ve Seater; önde Frigg, Odin ve Thor.

SOLDA *Tanrılardan, tanrıçalardan ve cinlerden
oluşan Hindu pantheonu, Singapur'daki Sri
Mariamman Tapınağı'nı süslüyor.*
YUKARIDA *Bu Japon ev sunağında altmış altı
Şintoist ve Budist tanrı bir araya getirilmiş.*

Yüce Varlık

Hemen her pantheonda zamanla bir önder tanrı ortaya çıkar. Mezopotamya mitinde bu tanrı, canavar Tiamat'ı öldürdükten sonra hükmeden Marduk'tur. Benzer şekilde, Kenan tanrısı Baal de dev Yamm'ı ve deniz ejderhası Lotan'ı alt ederek güce kavuşur.

Gelgelelim, gökyüzünde demokrasi yoktur ve önde gelen tanrı çoğu kez zor kullanarak başa geçer. Örneğin, Zeus ilk başta Poseidon, Hera ve Hades'le birlikte Kronos ve Rhea'nın çocuklarından sadece biridir. Çocuklarının kendisini devireceğinden korkan Kronos, hepsini doğar doğmaz yutar. Ne var ki, sıra Zeus'a geldiğinde, Rheia örtüye sarılı bir taş vererek Kronos'u kandırır. Gerçek Zeus başka bir yerde büyür, bir gün karşı karşıya geldiği babasını yener ve kardeşlerini kurtarır. Ardından Zeus gökyüzünün tartışmasız hâkimi olur, babası ise Tartaros'a kapatılır (*bkz.* s. 72).

Yüce varlıkların hemen hepsi erkek, sakallı ve gök gürlemesiyle ilişkilidir. İskandinav tanrısı Odin, onun oğlu Thor, Marduk, ayrıca *Eski Ahit*'in fırtına tutkunu Tanrı'sı bu kalıba girer. Hindu mitolojisinde durum biraz farklıdır: Bütün Hindu tanrıları fiilen cinsiyetsiz tek yüce güç Brahman'ın birer dışavurumudur, ama gerçekte üç ana tanrı vardır: Topluca *Trimurti* olarak anılan Yaratıcı, Kollayıcı ve Yıkıcı sıfatlı Brahma, Vişnu ve Şiva.

AŞAĞIDA SOLDA *Mexico'da bulunan bu ünlü "güneş taşı" Aztek takvimini gösteriyor. Ortada gökyüzüne hükmeden Tonatiuh duruyor.*
AŞAĞIDA VE SAĞDA *Hindu yaratılış tanrısı Brahma geleneksel olarak dört başlı tasvir edilir.*

IVPITER.

REGIONES.
Arabia felix, Celtica, Dalmat, Hispania, Miſnia, Tyrrhenia, Ungaria.
CIVITATES.
Auerno, Buda, Caſcouia, Matina, Narbona, Toletum, Volaterra.

Iupiter alatis aquilis per ſidera vectus:
Quippe aquilis ſemper gaudet Deus ille coruſc:
Quem Inuenis nudo formatus mollior arcu
Præcedit ſubeunt Piſces: dominatur opaco

Euphrati, Aſyrijs, Cilicum campeſtribus aris,
Pannoniæ, Calabris, extremiſq₃ æquore Iberis.
Hic membris tribuit neruos, et acumiā cordi,
Et regale caput, nec delaſſabile pectus.

REGIONES.
Calabria, Cilicia, Garamantes, Lydia, Normandia, Pamphilia, Portugalia.
CIVITATES.
Alexandria, Compoſtella, Hiſpalis, Parentiū, Ratisbona, Rhotmagum, Normatia.

M. de Vos figurauit.

Klasik mitolojide Zeus'un (Jüpiter'in) egemenliği hemen hemen
tartışmasızdır. Elindeki yıldırımlar, gücünün simgesidir.

SOLDA *Uranos (Roma mitolojisinde Saturnus) oğlu Poseidon'u yutuyor. En küçük oğlu Zeus bu yazgıdan kaçar ve babasını devirir.*
AŞAĞIDA *Michelangelo'nun tasvir ettiği Kitabı Mukaddes Tanrı'sı sakallı, yaşlı ve çatık kaşlıdır.*

Ana Tanrıçalar

Mitolojide tanrıçalar çoğu kez bereketle yakından ilişkilidir. En eski örneklerden biri, 20 bin yıl önce yapılan ve kadının doğurganlık gücünü yücelten "Willendorf Venüs'ü" heykelciğidir. İlk Mısır ve Batı Asya mitlerinde de güçlü bereket figürleri yer alır. Mezopotamya tanrıçası İştar (diğer adıyla İnanna) ayartıcılıktan haz alırken, "Ulu Ana" olarak da tapınılan Frig tanrıçası Kybele toprağın bereketine yön verir.

Çin'de büyük ana tanrıça, İmparator-tanrı Fuxi'nin eşi Nuwa'dır. Bir yılana dönüşme becerisiyle, ilk insanları yaratırken, soylular için sarı kil, geri kalanlar için ise toprak kullanır. Yılanlardan oluşmuş bir etek giyen Aztek ilahesi Coatlicue, birçok tanrı doğurur ve sonunda onlar tarafından öldürülür. (Ancak en küçük oğlu Huitzilopochtli öcünü alır.)

Hindu tanrıçası Devi "ilahi dişiliği" temsil eder ve bu yönüyle *Trimurti*'nin (*bkz. s. 30*) bir dişi dengini oluşturur; anne Ma ve yıkıcı Kali gibi çeşitli kisvelerle görünür. Zeus'un eşi Hera evlilik tanrıçası olması itibariyle, kocasının sadakatsizliğine rağmen ona sadık kalır, her ne kadar aşkına rakip çıkanların canını acımasızca yaksa da. Ama ona verilen önemin zaman içinde azaldığını görürüz; bu belki de berekete değer veren tarım toplumundan savaşa ve fethe dayalı bir topluma geçişi yansıtır.

SAĞDA Birbirine dolanmış yılanlardan eteğiyle Aztek ana tanrıçası Coatlicue. YAN SAYFA Pompeii'de bulunan bu freskte Mısır ana tanrıçası İsis'in Mısır'da İo'yu karşılayışı görülüyor. Kocasının bu Yunan nympha'sına ilgisini kıskanan Hera, İo'yu hiç durmaksızın dünyayı dolaşmaya zorlar.

AŞAĞIDA İÖ 2. binyıldan
kalma bir pişmiş toprak
kabartmada görülen İştar
güçlü bir Mezopotamya
bereket tanrıçasıydı.

SOLDA Çin mitolojisinin ilk varlıklarından Fuxi ve Nuwa burada birbirine dolanmış. Nuwa bir pusulayı tutarken, Fuxi bir marangoz gönyesini sallıyor. AŞAĞIDA Athanasius Kircher'in Oidipus Aegyptiacus kitabından alınma bu imgede İsis evrenin ana tanrıçası olarak gösteriliyor. SAĞDA Zeus'un eşi ve çeşitli Yunan tanrılarının annesi Hera.

Tanrıların Yaşadığı Yer

Tanrılar doğaüstü dünyaya ait olduklarından hemen her zaman insanlardan ayrı yaşarlar. Hindu, Budist ve Caynist mitolojiye göre, Brahma evren merkezindeki Meru Dağı'nda oturur. Ancak Meru dünyevi bir dağ değil, 84 bin *yohana* (yaklaşık bir milyon kilometre) yüksekliğinde olduğu söylenen mucizevi bir doruktur. Güneş tanrısı Surya her gün çevresinde döner.

Taoist felsefe cennet kavramını dosdoğru "gökyüzü" anlamına gelen *tian* kelimesiyle ifade eder; bu gökyüzüne tapınma Pekin'deki ünlü Cennet Tapınağı'yla anıtlaştırılmıştır. Japon cenneti dünyaya bir yüzer köprüyle bağlanır. Her iki gelenekte de tanrıların altın ve gümüşten dağlarda yaşadığı öne sürülür.

Kadim Mezopotamya metni *Enuma Eliş* cennetin iki katmandan oluştuğunu belirtir: Anu diyarı ve Enlil diyarı. İskandinav mitolojisinde insanlar Midgard'da, Aesir tanrıları ise ortasında Odin'in salonu Valhalla'nın yer aldığı Asgard'da yaşar.

Tasvirlerdeki belirsizliğe rağmen, Hıristiyan cenneti meleklerin kaldığı yer olarak bilinir. Ama belki de en ünlü kutsal sığınak Olympos Dağı'dır. Yunanistan'ın en yüksek dağı olması bakımından, antik Yunan mitolojisinin on iki ana tanrısına uygun bir yurttur.

SOLDA Kutsal Üçlü'nün (Tanrı, Mesih ve Kutsal Ruh) barındığı Hıristiyan cenneti, melekleri de ağırlar.
AŞAĞIDA Pekin'deki Cennet Tapınağı.
SAĞDA İskandinav evreni aralarında ateş diyarı Muspelheim'in (1) ve insanların yaşadığı Midgard'ın (3) da bulunduğu dokuz kademeye ayrılır.

YUKARIDA Bu Tibet duvar resminde merkezinde dünya dağı Meru'nun yer aldığı bir kozmik mandala görülüyor. SAĞDA Ölümlülerin yaşadığı ve halka biçimli okyanuslarla ayrılmış kıtaları gösteren bir Cayna kozmoloji planı. Zirvesinde yaratılış tanrısı Brahma'nın yaşadığı Meru Dağı tam ortada yer alır.

Güneş

Isının ve ışığın kaynağı, gündüzün işareti güneş, bütün mitolojilerde merkezi yer tutar. Güneşin gökteki öngörülebilir geçişi, birçok kültürü bu devinimin bir varlıkça denetlendiği sonucuna yöneltmiştir. Mısırlılar güneşin bir mavnada yol aldığını, Yunanlar ve Kuzey Avrupalılar ise bir güneş arabasında taşındığını sanırdı.

Yunan ve Roma inanışına göre, bu arabayı doğuda yaşayan tanrı Helios (Sol) sürer. Onun ölümlü oğlu Phaethon, arabayı sürmek için izin ister. Helios'un onu caydırma çabasına karşın diretir, ama atlarla başa çıkamayıp yeryüzüne düşer. Yunan mitolojisi daha sonraları güneşi Apollon'la ilişkilendirmiştir.

Mısır mitolojisinde düzeni temsil eden güneş, Ra'yla ilişkili görülür. Her gece yeraltına inen güneşin orada kaos yılanı Apep gibi saldırganlarla dövüşmesi gerekir.

Orta Amerika toplumlarında güneşe tapınma baskındı. Aztek güneş tanrısı Huitzilopochtli'yi insan kurbanlarla beslemek gerektiğine inanılırdı. Azteklere göre güneş, toprak tanrıçası Coatlicue'nin oğluydu. Bazı

Çin mitleri güneşi Pan Gu'nun (bkz. s. 20) sol gözü sayar. İran mitolojisinde güneş ilahları, her ikisi de güçlü tanrılar olan Ahura Mazda ve Mithra'dır.

Güneş tutulmalarına kozmik anlam yüklenirdi. Çinlilere göre, bu olay güneşin bir ejderha tarafından yutulmasının sonucuydu. Mısırlılar ise tutulmayı, güneşin Apep'le kavgasında bir an için yenik düşmesinin belirtisi olarak görürdü. Japonlara göre ise tutulma, Şinto güneş tanrıçası Amaterasu'nun bir mağaraya kaçarak, dünyayı karanlıkta bıraktığının işaretiydi; neyse ki, diğer tanrıların güldüğünü duyunca, merak duygusuyla tekrar dışarı çıkardı. İskandinav mitolojisi güneşin, yani tanrıça Sol'un muhtemelen Ragnarök'un mahşeri olayları sırasında kurt Fenrir tarafından yutulacağını öngörür.

AŞAĞIDA Güneş tanrıçası Amaterasu mağarasından diğer tanrıların gözlerini kamaştırarak çıkıyor.
SAĞDA Başından çıkan ışınlarla bir İran güneş tasviri.

صورت آفتاب فیا علاعات است

Sol

SOLDA Babasının atlarını dizginleyemeyen Phaethon yeryüzüne düşüyor.
YANDA YUKARIDA Apollon gökyüzünde dolaşıyor.
YANDA AŞAĞIDA Güneş tanrısı Sol savaş arabasını sürüyor.
YUKARIDA Güneş arabalarına dünyanın her yanında rastlanır. Burada kırmızı
yüzlü Aruna, Hindu güneş tanrısı Surya'nın savaş arabasını sürüyor.

Bir hilalin önünde Selene'yi iki yanında
Dioskuroi'yle ya da Phosphoros (Sabah Yıldızı) ve
Hesperos'la (Akşam Yıldızı) gösteren sunak.

Ay

Güneş genellikle erilken, ay çoğu kez dişi olarak tasvir edilir. Aztek mitolojisinde toprak tanrıçası Coatlicue'nin kızlarından Coyolxauhqui onu devirmeye çalışır. Ancak Huitzilopochtli adlı bir erkek kardeşi boynunu vurur; ardından gökyüzüne fırlattığı başı orada aya dönüşür.

Yunan mitolojisinde ay ilk başta Helios'un kız kardeşi Titan Selene'yle ilişkilendirilirdi. Selene üzerine belki de en ünlü mit, gönlünü çoban Endymion'a kaptırışını ve yakışıklılığını doyasıya seyretmek için Zeus'tan onu sonsuz bir uykuya yatırmasını isteyişini anlatır. Zamanla ay tanrıçası olarak Selene'nin yerine Artemis geçti.

Mezopotamya'da Suen (bazen Sin ya da Nanna) olarak anılan ay, Enlil ve Ninlil'in oğluydu. Bazı mitlere göre, İştar'ın babası Suen'di. Kadim Mısır mitolojisinde ayla ilişkilendirilen iki tanrı, Honsu ve büyü tanrısı Thoth'tu.

Amerika Yerlileri dahil birçok gelenekte, ay yüzeyindeki izlerden hareketle var olduğu ileri sürülen Ay Tavşanı'na göndermede bulunulur. Çin mitinde bu figürün ay tanrıçası Chang'e eşliğinde sonsuz yaşam iksirini karıştırdığı belirtilir. Azteklere göre ise kendisini tanrıya kurban eden bir tavşanın anısına Quetzalcoatl tarafından oraya konulmuştur.

YUKARIDA Coyolxauhqui'nin parçalanmış bedeninin tasvir edildiği taş disk.
AŞAĞIDA Bir Babil silindir mührüyle vurulmuş bu damgada, İştar (bir yıldız) ve Sin (Ay) simgelerinin önündeki bir rahip görülüyor.

YUKARIDA Ay Tavşanı sonsuz yaşam iksirini karıştırırken,
ay tanrıçası Chang'e onu izliyor.
SAĞDA Güneş gibi ay da çoğu kez arabayla yolculuk eder.
Tasvirde, Selene kendi arabasıyla geceleyin gökyüzünden
geçiyor.

Yıldızlar

Tanrıların büyük olasılıkla göklerde bulunması nedeniyle, bütün kültürler yıldızlarda bir anlam aramış, ayrıca nereden geldiklerini açıklamaya çalışmıştır. Kuzey Amerika Yerli mitolojisine göre, Örümcek Nine'nin ördüğü bir ağın üstü daha sonra çiy damlalarıyla kaplanır. Bunu gökyüzüne fırlatmasıyla, gece seması ortaya çıkar.

Yunanlar meraklı yıldız gözlemcileriydi ve onları bir araya getirip takımyıldızlar oluştururlardı. Her takımyıldız bir mitolojik hikâyeyle ilişkilendirilirdi. Örneğin, Büyükayı ve Küçükayı'nın sonradan ayıya dönüştürülen *nympha* Kallisto ve oğlu olduğu, komşu Draco takımyıldızının ise İason tarafından öldürülen ejderhayı (bkz. s. 318) temsil ettiği düşünülürdü. Buna karşılık, kadim Mısırlılar aynı takımyıldızı suaygırı başlı tanrı Taurt olarak görürdü. Ölümden sonra ruhun cennete ulaşmak için yıldızları dolaşması gerektiğine inanırdı. Gece semasıyla ilişkilendirilen Aztek tanrısı Tezcatlipoca'ydı.

AŞAĞIDA SOLDA *Bu Aztek çizimi yıldızları insan bedeninin parçalarıyla ilişkilendirir.*
AŞAĞIDA SAĞDA *Yunan inancına göre, Draco ("ejderha") takımyıldızı İason'un öldürdüğü ejderhayı anıtlaştırır.*
SAĞDA *Bu Ermenice yazmada bir astronom burçları gözlemliyor.*

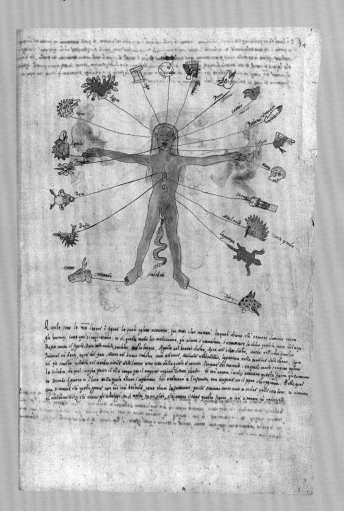

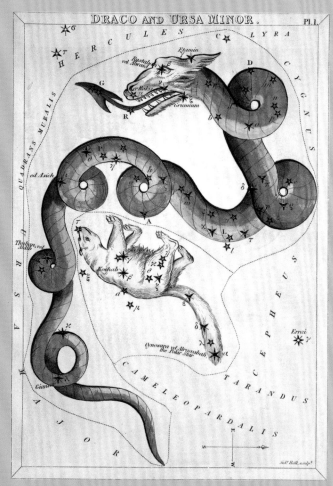

Çinlilerin gece semasında saptadığı dört mitolojik hayvan vardı: Gökmavisi Ejderha, Siyah Tosbağa, Kızıl Kuş ve Beyaz Kaplan. Bu hayvanlar mevsimlerle, ana yönlerle ve doğa olaylarıyla da ilişkilendirilirdi.

Bir Kuzey Amerika Tlingit mitinde, dünyadaki bütün ışığın tek kişi tarafından toplanıp saklandığı belirtilir. Işığı geri almak için bebek kılığına girip eve sızan oyunbaz Kuzgun'a oynaması için yıldızlarla dolu bir torba verilir. Torbayı boşaltmasıyla birlikte, yıldızlar bacadan süzülüp gökyüzüne çıkar.

AŞAĞIDA *Bu Bizans gökyüzü çiziminde, Mesih kişiliğiyle birleştirilen Helios ortada yer alırken, havariler burçlarla aynı hizada sıralanmıştır.*
SAĞDA *Han hanedanına ait bu seramik levhada başlıca takımyıldızları ve ana yönleri temsil eden hayvanlar görülüyor.*
YAN SAYFA *Roma zaman tanrısı Aeon, burçlarla bezenmiş bir göksel küreyi çeviriyor. Ön tarafta ana tanrıça ve toprak tanrıçası Tellus (Gaia) duruyor.*

Sevdalı Tanrılar

Tanrılar tuhaf yollarla çoğalır. En eski Yunan tanrıları nere-
deyse sihirli biçimde ürerken, sonraki Olymposlular çoğu kez
başkalarını baştan çıkarmak için kılık değiştirir. Aztek mitolo-
jisinde ilk tanrı Ometeotl ("İki Tanrı") hem erkek hem kadındır.
Dört güneş ilahını doğurur: Huitzilopochtli, Quetzalcoatl, Tez-
catlipoca ve Xipe Totec.

Zeus'un sadakatsizliği dillere destandı: Fani ve ilahi olmak
üzere en az kırk sevgilisi vardı ve aralarında Herakles, Aphro-
dite, Hermes, Dionysos ve Musa'ların bulunduğu onlarca çocu-
ğun babasıydı. İnsanları çeşitli biçimlere bürünerek baştan
çıkarırdı: Bir altın sikke sağanağı (Danae), bir boğa (Europa), bir
kartal (Ganymedes) ve hatta bir bulut (İo). Odin, adı "sevgili"
anlamına gelen Frigg'le evli olmasına rağmen, Zeus'un kadın-
lara düşkünlüğünün mirasçısıdır.

SAĞDA *Tanrı Wotan'ın Valkyrja* Brünnhilde'ye *veda edişi; Richard*
Wagner'in bu İskandinav miti yorumunda Brünnhilde toprak tanrıçası
Erda'nın kızıdır.
AŞAĞIDA *Zeus'un göründüğü talihsiz Semele, onun ihtişamı*
karşısında yanıp kül olur.
YAN SAYFA *Correggio'nun bulut biçimindeki Zeus'un İo'yu baştan*
çıkarışını konu alan tablosu.

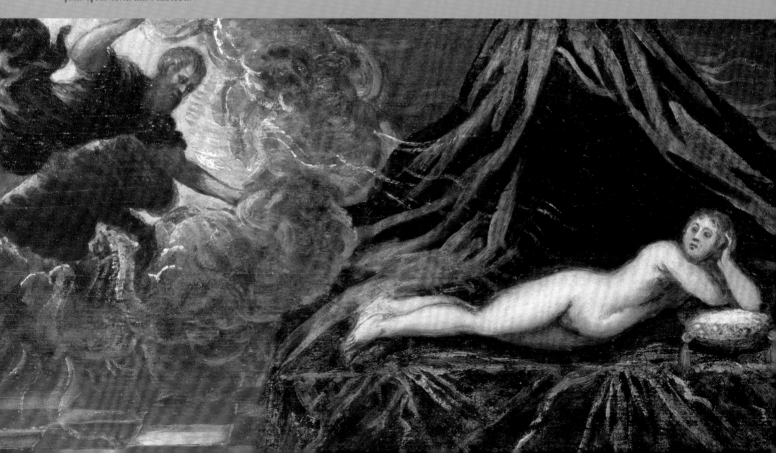

Diğer Olympos tanrıları ve tanrıçaları da sadakatsizlikten uzak değildir. Güzel Aphrodite topal demirci Hephaistos'la evliyken, savaş tanrısı Ares'le gönül ilişkisine girer. Hephaistos onları yatakta yakalamak için bir ağ örer ve bütün tanrılar kapana kısılan çifti izlemeye (bu arada çıplak Aphrodite'yi görme zevkine varmaya) gelir.

İlkörnek sadık eş İsis'tir. Mısır mitolojisinde önemli yer tutan bir hikâyede, Osiris erkek kardeşi Seth tarafından kaçırılır ve bir lahde konulup nehre atılır. İsis dünyayı köşe bucak arayarak sonunda kocasını bulur; Seth tarafından parçalanmış bedenini büyüyle bir araya getirmeyi başarır ve ardından Horus'a gebe kalır.

YUKARIDA *Bu oyma kabartmada Yunan aşk tanrıçası Aphrodite denizden çıkıyor.*
SAĞDA *Hindu tanrısı Şiva sevgilisi Parvati'yle birlikte yıkanıyor.*

SOLDA *Hephaistos eşi Aphrodite'yi sevgilisi Ares'le yakalıyor. Diğer tanrılar da onları izliyor.*
YUKARIDA *Fillerin üstündeki Hindu tanrısı Vişnu ve eşi Lakşmi ile Şiva, Parvati ve Ganeşa'nın buluşması.*

摩_ま竭_{かつ}
飢_け竭_つ

İklim Tanrıları

Tarıma dayalı toplumlar için iklim büyük önem taşır. Antik Yunan mitolojisinde merkezi iklim tanrısı, "bulut toplayıcı" olarak anılan Zeus'tur; dev soyundan üç Kyklops'un kendisi için yaptığı yıldırımları sıkıca tutarken görülür. Zeus gürleme tanrıları Donar (Germen), Thor (İskandinav) ve Taranis'le (Kelt) benzerlikler gösterir.

Yoruba mitolojisinde Şango gökyüzüne yükselip fırtına tanrısına dönüşmüş bir dünyevi hükümdardır. Güneş ilahı Amaterasu'nun erkek kardeşi olan Şinto fırtına tanrısı Susanu, kız kardeşini ürkütüp bir mağaraya kaçırtınca cennetten kovulur (*bkz.* s. 42). Aztek yağmur tanrısı Tlaloc da şiddetli fırtınalarla ilişkilendirilir.

Kadim Babil mitolojisinde Tiamat ve Marduk'un yanı sıra güneybatı rüzgârı cini Pazuzu gibi bir dizi rüzgâr ilahı bulunur. *Enuma Eliş* metnine göre, Marduk dört rüzgârı kullanarak Tiamat'ı alt eder. Sonraları Kenan'da karşımıza fırtına tanrısı Baal çıkar. Yunan mitolojisinde rüzgârların hâkimi Aiolos'tur. Eve dönüşüne yardımcı olmak için Odysseus'a bütün rüzgârların bulunduğu bir torba verir; ama Odysseus'un adamları torbayı açınca fırtınaya neden olur. Zephyros dört rüzgârdan biridir; Botticelli'nin tablosunda (*bkz.* s. 62) Venüs'ü kıyıya doğru üflerken tasvir edilmiştir.

Japon rüzgâr tanrıları da torba taşırken gösterilir. Rüzgâr tanrısı Fujin yaratılıştan sonra havada kalan sisi dağıtmak için torbasından rüzgârlar çıkarır. Kardeşi Raijin fırtına tanrısıdır. Bu arada, Aztek mitolojisinde Ehecatl ("rüzgâr") kalıcı biçimden yoksun olmakla birlikte, güneş dahil her şeyi hareket ettirir.

SOLDA *Bu Japon tanrılarından biri rüzgâr torbası, diğeri ise göğü gürletmeye yarayan tokmak taşıyor.*
YUKARIDA *Yağmur tanrısı Tlaloc ay tanrıçasıyla kakao değiştokuş ediyor.*

YUKARIDA Bir Demir Çağı kazanındaki bu sahne, Kelt gürleme tanrısı Taranis'i bir çarkı sıkıca tutarken gösteriyor.
AŞAĞIDA Botticelli'nin tablosunda bir deniz kabuğundan doğan güzel Venüs, Zephyros tarafından üflenerek kıyıya sürükleniyor.
SAĞDA Keçilerce çekilen arabasındaki Thor çekiciyle göğü çatırdatarak gürlemesine yol açıyor.

Gökkuşağı

Bütün doğa olayları içinde gökkuşağı en gizemli ve büyülü olanıdır. Geçmişte onu görenler, bir doğaüstü dünyanın olabilecek en açık belirtisi saymış olsa gerek.

Biçiminden ötürü gökkuşağı çoğu kez bir köprü olarak anlaşılır. Örneğin, İskandinav mitolojisinde Bifröst adıyla anılır; insanların ve tanrıların dünyalarını birbirine bağladığı düşünülür; Heimdallr adlı sadık bir bekçisi vardır. Yunanlara göre, gökkuşağı ulak tanrıça İris'le ilişkilidir.

Kitabı Mukaddes'in Nuh hikâyesinde gökkuşağı, Tanrı ile insanoğlu arasındaki ahdin bir simgesidir. *Gılgamış Destanı*'nda çok benzer bir hikâye yer alır; büyük tanrıça İştar gökkuşağı gerdanlığını Büyük Tufan'ı asla unutmayacağının bir ahdi olarak sunar.

YUKARIDA *Kitabı Mukaddes'te gökkuşağı, Tanrı'nın Büyük Tufan sonrasında insanoğluyla ahdine işaret eder. Burada Nuh bir şükran kurbanı hazırlıyor.*
SAĞDA *İris antik Yunan dünyasında gökkuşağının kişileşmiş halidir.*

Hindu mitolojisinde ise gökkuşağının gürleme ve fırtına tanrısı İndra'nın yayı olduğu söylenir. Ayrıca Tibet'in ilk krallarının gökyüzüne gökkuşağı biçiminde döndüklerine inanılır.

Bazı kültürler gökkuşağını yılanlarla ilişkilendirir. Hem Aztek mitolojisinde hem de Avustralya Yerli geleneğinde suları denetleyen bir "Gökkuşağı Yılanı" görülür.

SOLDA *Uldra bir İskandinav şelale gökkuşağı cinidir.*
YUKARIDA *İskandinav tanrıları gökkuşağı köprüsü Bifröst'ten geçiyor.*

Tanrıların Ulakları

Semavi geleneklerde melekler Tanrı'nın ulakları işlevini yerine getirerek, ihtiyaç duyulan anlarda veya önemli duyuruları aktarmak için dindarlara görünürler. Hıristiyan inancında Tanrı'nın asıl ulağı, Mesih'e gebe olduğunu bildirmek üzere Meryem'e görünen baş melek Cebrail'dir.

İris'le birlikte Hermes (Roma mitolojisinde Mercurius) klasik çağın başta gelen ulağıdır. Hephaistos tarafından yapılan kanatlı sandaletleri gökyüzü ile yeryüzü arasında uçmasını sağlar; elinde *cadeceus* denen yılan sarılı bir asa taşır. Hermes'in başlıca sorumluluklarından biri yeraltı dünyasına inişte ölülere yol göstermektir.

YUKARIDA *Orpheus'un kesik başı, ölümlülerin doğaüstü dünyaya danışmada başvurdukları bir kâhine dönüşür.*
SAĞDA *Pompeii'de bulunan bu freskte Mercurius elinde asasıyla ve ayağında kanatlı sandaletleriyle görülüyor. Iuno bir tahtta otururken, İris arkasında duruyor.*

Oyunbazlar

Oyunbazlar mitlere öngörülemezlik, kaos ve mizah katar. Hemen hepsi şekil değiştirmede ustadır. Devlerin oğlu İskandinav tanrısı Loki belki en tanınmış oyunbazdır. Balder'in ölümünde önemli rol oynar (*bkz. s. 162*) ve yüzüne bir yılanın zehir damlatacağı şekilde bir kayaya zincirlenerek cezalandırılır. Loki'nin çocuklarından bazıları dev kurt Fenrir, Midgard Yılanı ve Hel'dir.

Amerika Yerli mitolojisindeki iki önemli oyunbaz Çakal ve Kuzgun'dur (*bkz. s. 224*). Çakal yalan söyleyen ilk varlıktır; dünyaya hastalık ve ölüm getirmiştir.

Yoruba kültüründeki oyunbaz-ulak tanrı Eşu, tıpkı Hermes gibi sınırların tanrısıdır. Bir keresinde güneşi ve ayı yer değiştirmeye ikna ederek, evreni kaosa sürükler. Batı Afrika'daki Aşanti kültüründe ise insanoğlunu yaratan oyunbaz örümcek Ananse yer alır.

Oyunbaz Maui gözde bir Polinezya ilahıdır; Hawaii'den Yeni Zelanda'ya kadar her yerde ona rastlanır. Güneşi yavaşlatmak ve günün süresini sabitlemek için ninesinin çene kemiğini kullanmış, ayrıca insanoğluna ateşi vermiştir.

SOLDA *Diz çökmüş bu figür, oyunla ve şaşırtmacayla ilişkilendirilen Yoruba tanrısı Eşu'yu temsil eder.*
YUKARIDA *Kuzey Amerika oyunbazı Çakal bir kanoda.*
AŞAĞIDA *Polinezya oyunbaz tanrısı Maui'nin doğuşu.*
SAĞDA *Loki'ye verilen ceza bir kayaya bağlanmak ve yüzüne damlayan yılan zehrine dayanmaktı.*

Yeraltı

Çoğu mitoloji belki de geleneksel defin âdetlerinden dolayı yeraltını ölüler diyarı olarak görür.

Yunan inanışında iki yeraltı katmanı vardır. İlki Hades'tir ve Zeus'un kardeşi olan aynı adlı tanrı tarafından yönetilir. Hades bir ceza çekme yeri değil, sırf ölülerin kaldığı diyardır. Onun altında Tartaros yer alır. *İlyada*'da Zeus burayı "cennetin yeryüzünden yüksekliği kadar Hades'in aşağısında" diye açıklar. Zeus'un babası Kronos'un sözgelimi ilk kaos canavarları Kyklops'ları ve Hekatonkheir'leri attığı bir ıstırap çukurudur. Zeus onları oradan çıkarır ve yerlerine kendi babasını koyar. Typhon gibi Tantalos da Tartaros'a atılanlardan biridir (*bkz. s. 202*).

Tartaros esasen Şeytan'ın hükmettiği Hıristiyan cehenneminden pek farklı değildir. Batı dillerinde "cehennem"in karşılığı olan kelime İskandinav yeraltı tanrıçası Hel'den gelir. Mezopotamya mitolojisinde yeraltı diyarında cennetin ilahı İştar'ın kız kardeşi Ereşkigal hüküm sürer. İki kız kardeş birbirini şiddetle kıskanır.

SOLDA *Zeus'u devirme girişiminde başarısızlığa uğrayan Devler yeraltına gönderilir.*
AŞAĞIDA *Klasik mitolojide Kharon'un kayığı ölüleri, Styks Nehri'nin karşı kıyısına geçirir. Bu nehir ölüleri sağlardan ayırır ve karşı kıyıyı çok başlı köpek Kerberos korur.*

T. Stothard. Pinxt.   London, Published 1 Nov.r 1792, by Jeffryes & Co Ludgate Hill.   F. Bartolozzi Sculp.t R.A.

SOLDA YUKARIDA İskandinav kıyameti Ragnarök sırasında Hel'in gücüyle Valkyrja'ların aşağı indirilişi.
SOLDA AŞAĞIDA Yeraltında gölgeler ve garip yaratıklar bulunur.
YUKARIDA Şeytan lanetlilere eziyet çektiren zebanilerle çevrili halde cehennem âlemini gözlüyor.

SOLDA Psykhe'nin Styks
Nehri'nden su almak için
yeraltına inişi
SAĞDA Yeraltı diyarının hakımı
Hades ve eşi Persephone.
AŞAĞIDA Palmyra'da bulunan
bu 1. yüzyıl kabartmasında,
Babil yeraltı tanrısı Nergal
(Herakles'i andıran bir eda
içinde) ay ve guneş tanrılarıyla
birlikte gorülüyor.

YUKARIDA Ürkütücü bakışlı
Mezopotamya fırtına cini
Pazuzu aslan başlı, kartal
kanatlı ve akrep kuyrukludur.
SOLDA İskelet biçimli Aztek
yıldız cini (tzitzimitl).
SAĞDA Buda ayartıcı cinlere
karşı koyarak Boddhi ağacı
altında meditasyon yaparken.

Cinler

Cinler mitolojide kestirilemeyecek çeşitli roller oynar; bazen kötülüğü özendirir, bazen de kötülük yapanları cezalandırır.

Hindu mitolojisinde *asura* adıyla geçen cinler mutlaka kötü değildir; aslında, bazı *asura*'lar şaşırtıcı ölçüde sadıktır. Veda geleneğine göre, *asura*'lar ve gökteki denkleri *deva*'lar aynı yaratıcıdan gelir. *Asura*'lar kimi zaman tanrılarla çarpışırlar, ama Süt Okyanusu'nun çalkalanışına (bkz. s. 162) yardım etmekten de geri kalmazlar. Ne var ki, hayat iksiri ortaya çıkınca, onu çalmaya kalkışırlar.

Musevi-Hıristiyan dinlerinde, Şeytan görevine cennette başlar, ama Tanrı'ya başkaldırdıktan sonra cehenneme sürülür. Sonraki Hıristiyan geleneğinde kötülüğün kişileşmiş haline, cinler hiyerarşisinin tepesindeki varlığa ve hepsinden önemlisi bir ayartıcıya dönüşür.

Mezopotamya mitolojisinde namlı Pazuzu'nun yanı sıra bir dizi fırtına cini bulunur. Hindu geleneğinde olduğu gibi, bütün tanrılar ve cinler aynı babadan, Anu'dan gelir. Tanrı Nergal'in Ereşkigal'ı görmek üzere yeraltına inişine on dört cinin yardım ettiği söylenir.

Cinlere Budizmde de rastlanır. Örneğin Tibet'te bDud adı verilen cinlere dayalı bir gelenek vardır; bunlar Budizm öncesinden kalmakla birlikte pantheona alınmıştır. Japon folkloru en yüksek sayıda cini barındırır; topluca *oni* olarak anılan bu varlıkların yanı sıra *yokai* denen hortlak cinler de vardır. Bu cinler cehennem tasvirlerinde koca demir sopalarıyla sıkça görülür.

श्रीदेवी

Hindu tanrıçası
Devi'nin
avatar'larından
Durga (en solda)
Manda Cin Şri
Deri'nin başını
kesiyor.

श्रीद्ताग्रः

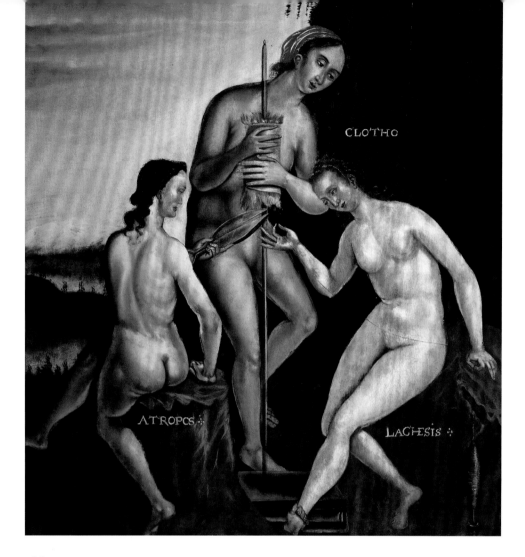

Öbür Doğaüstü Varlıklar

Mitolojiler tuhaf doğaüstü yaratıklarla doludur. Örneğin, İskandinav hikâyelerinde ara sıra Aesir'e düşmanlık eden, bazen de onlarla evlenen Buz Devler yer alır. Yunan mitolojisinde Olympos'a saldıran Devler'in yanı sıra Kyklops adlı tek gözlü devlere rastlanır.

Klasik mitoloji tanrılar diyarına uygun düşmeyen doğaüstü varlıkların belki de en geniş yelpazesini sunar. Örneğin, *nympha*'lar belirli yerlere ait doğa cinleridir. Ayrıca, özellikle meşe ağaçlarıyla bağlantılı ağaç cinleri *dryas*'lar, cennet gibi bir bahçeye bakan Hesperid'ler, nehirleri, pınarları ve dereleri koruyan *naiad*'lar vardır. Diğer *nympha*'lar Pan gibi belirli tanrılara hizmet eder.

Herkesin, hatta tanrıların korktuğu üç Yunan Moira'sının İskandinav denkleri Norn'lardır (bkz. s. 192). Hindu mitolojisinde *naga*'lar olarak anılan yılan benzeri varlıklar görülür. Onların önderi Seşa, yaratılış evreleri arasında Vişnu'nun üstünde uzanıp dinlendiği yılandır (bkz. s. 146).

YUKARIDA SOLDA Klotho ("döndüren"), Lakhesis ("kısmet veren") ve Atropos ("kaçınılmaz olan") adlı Üç Yunan Moira'sı.
YUKARIDA İngiliz Kolombiyası'ndaki bir ev direğinde insan yiyen dişi canavar Dzonoqwa görülüyor.
SAĞDA İskandinav devi Baugi, Odin'in eşliğinde ozanların çayırına erişmek için bir dağı deliyor.

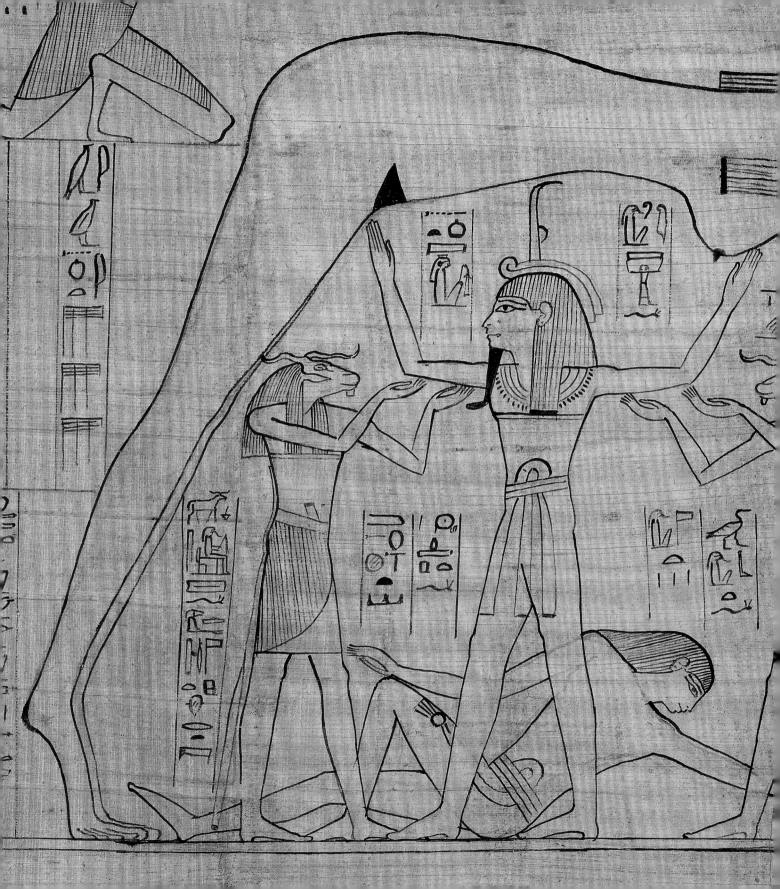

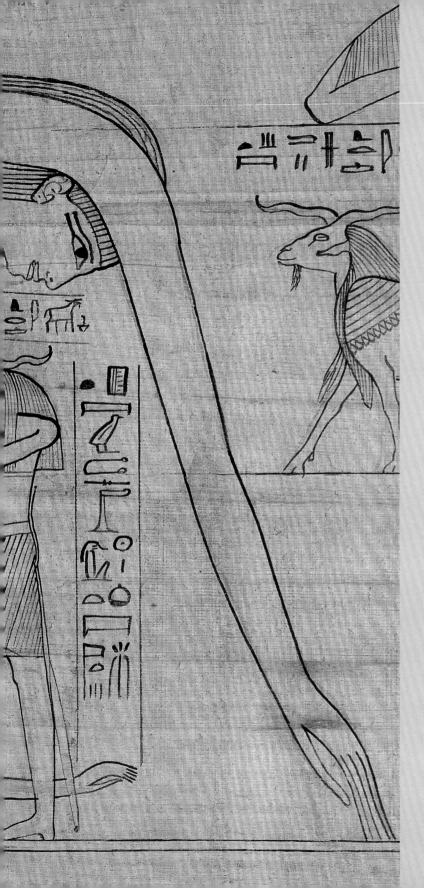

2

DÜNYA
|||||||||||||||||||||||||||||

Mitolojiler insan varoluşunu ve doğaüstü dünyanın işleyişini açıklama çabaları olduğu gibi, aynı zamanda çevremizle de ilgilidir. Birçok yeryüzü şekli –dağlar, ırmaklar, vadiler, şelaleler ve çöller– izleyende bir dram hissi uyandırır. Doğa manzaraları çoğunlukla çok güzel ve çok tehlikeli oldukları için dünyadaki bütün kültürler bu manzaralarda bir anlam aramıştır.

Antik Yunanlara göre dünya, kelimenin tam anlamıyla tanrılardan ortaya çıktı. Her şeyin temeli kaostan çıkan ilk varlık, dünyanın temsilcisi Gaia'ydı. Gaia, dağları ve gökyüzünü (Uranos) dünyaya getirdi. Gaia ve Uranos'un, Titan ve Kykloplar da dahil birçok yavrusu oldu. Çocuklarından tiksinen Uranos, onları Gaia'ya dönmeye zorladı. Kocasından bıkan Gaia kalan tek oğlu Kronos'a, babasını hadım etmesi için bir orak verdi. Böylece gökyüzü, dünyadan ayrılarak yaratılışın geri kalanına yer açtı.

Toprak Ana ve Gök Baba figürlerine, Amerika Yerlilerinin efsaneleri de dahil olmak üzere birçok mitolojide rastlanır. Nijerya'da bu iki figür, birbirine sımsıkı sarılıp kenetlenerek çocuklarını hapsetmektedir. Her bir çocuk onları ayırmaya çalışır ama sadece biri başarır. Antik Mısır mitolojisine göre Geb (yeryüzü) ve Nut (gökyüzü) babaları Şu tarafından ayrılmıştır.

Çin efsanesine göre Pan Gu, gökyüzünü yaptı ve desteklemek için de altına dört sütun yerleştirdi. Pan Gu'nun bedeni, ölümünün ardından doğanın farklı parçalarına dönüştü. "Uzuvları bedeninden koparılmış tanrı"ya dair bu öyküyle benzerlikler taşıyan öğeler Antik Mezopotamya'da da vardı; örneğin Marduk Tiamat'ın cesedini, yeryüzü (örneğin göğüsleri dağlara dönüştü) ve gökyüzü olarak ikiye ayırdı.

Bu kutsal doğa manzarasına, topografik tuhaflıkları açıklayabilecek çeşitli mitolojik olaylar eklenmiştir. Avustralya Yerlilerinin mitlerinin yakın çevreleriyle güçlü bağları vardır. Belli coğrafi oluşumlar, Düş Görümü olarak adlandırılan dönemde Yaratıcı Varlıklar tarafından biçimlendirilmişti. Dağlar, yere düşmüş iguanalar ya da devler olabilirken diğer doğal yeryüzü şekilleri de atalarından kalan işaretlerdi. Vadilerin ve dağların, dev yılanların birbiriyle dövüşmesi sonucu oluştuğunu düşünürlerdi. Uluru (Ayers Kayası) gibi doğal oluşumlar, Avustralya Yerlilerinin kutsal mekânlarıdır.

Böylesi yerel mitler, doğaüstü dünyayla kurulan yakın ilişkileri işaret ettikleri gibi halkların inançlarına dair somut deliller de sunar. Bugün bile, Nuh'un Gemisi'nin Büyük Tufan'dan sonra Ağrı Dağı'nda oturduğu yeri tespit

ÖNCEKİ SAYFA
Mısır gökyüzü tanrıçası Nut, kardeşi ve kocası yeryüzü tanrısı Geb'in üzerinde kemer biçiminde uzanmaktadır. Babaları Şu onları ayırmaktadır.
SOLDA
Papalık tacı takan Tanrı, İncil'in Tekvin bölümünde anlatıldığı gibi karaları ve denizleri yaratmaktadır.
SAĞDA *Nuh, Tanrı'nın kesin talimatlarına göre inşa edilen gemisini denetlemektedir.*

etmeye çalışan arkeologlar vardır. Bu arkeologların Antik Yunan ve Roma'daki ataları, yerin altından çıkan fosilleşmiş mamut kemiklerinin devlerin kalıntıları olduklarını düşünürdü. Bütün dünyayı sular altında bırakan ve insanlığı yok olma noktasına kadar getiren tufan efsanesi neredeyse evrenseldir. Amerika Yerlilerinin masallarında dünya, "yeryüzü dalgıçları" tarafından, parça parça su üstüne çıkarılmıştır. Hindu mitolojisine göre, dünyayı denizlerin altından çıkaran, Vişnu'nun domuz biçimli *avatar*'ı Varaha'dır.

Mitoloji, farklı kültürlerin dünya görüşlerine dair kavrayışımızı güçlendirir. Birçok gelenek, dünyanın merkezi anlamına gelen *axis mundi* kavramına yer verir. Ortaçağ'a ait Avrupa haritalarında, *Kitabı Mukaddes*'teki öneminden ötürü Kudüs merkeze yerleştirilirdi. Diğerleriyse, dünyanın merkezinde, Cennet'teki dört ırmağın kaynağı Cennet Bahçesi'nin yer aldığına inanırdı. Hindu mitolojisinde dünyanın merkezi efsanevi Meru Dağı'dır; Kuzey Avrupa mitolojisindeyse Dünya Ağacı Yggdrasil'dir. Ağaçlar, mitolojilerin önemli öğeleridir; gelişimleri, sahip oldukları güç ve uzun ömür bakımından etkili metaforlardır.

Birçok kültür, doğanın ruhlar tarafından korunduğuna inanırdı. Yunanlarda Naiadlar ve Dryaslar ormanları ve ırmakları korurken Kuzey Avrupa mitolojisinde aynı görevi koruyucu *Landvaettir* üstlenirdi. Japon, Kore ve Çin inanışlarında dağ tanrıları ve su perileri bulunduğu gibi Keltlerde de pınarları koruyan ruhlar vardır. Güneydoğu Asya mitolojisi taşlara, bitkilere ve ırmaklara ruh aşılar; örneğin Pirinç Ruhu, hasat zamanı önemli bir rol oynar.

Doğal olarak birçok mit, insanlığın doğanın ritmine olan bağımlılığını yansıtır. Mısır'da, Nil'in yıllık taşkını, çorak çöl arazilerini bereketlendirerek bütün ülkeyi ayakta tutardı. Mezopotamya'da, İştar'ın kocası, çoban kral Dumuzi her yılın yarısını yeraltında geçirmeye zorlanmıştı; bu öykü yıllık bereket döngüsünü açıklamaktadır. Hitit ve Hurri mitolojilerindeyse, tarım ve sulama tanrısı Telepinu vardır; bu tanrı Anadolu'da oldukça ünlüydü. Bir gün, öfkelenip bütün bereketi yanına alıp kayıplara karıştığı söylenir. Daha sonra, tanrı arkadaşlarından biri dil dökerek onu geri dönmeye ikna etmiştir.

Yunan mitolojisinde benzer bir döngü, Persephone öyküsüyle aktarılır. Bu güzel bereket tanrıçası, Demeter ve Zeus'un kızıydı. Zeus, Demeter'in haberi olmadan Persephone'yi, kardeşi Hades'e (Pluto) vaat etti, Hades de bu sözün gereğince kızı yeraltı dünyasına götürdü. Demeter, dünyayla ilgilenme görevini ihmal ederek her yerde kızını aradı. Sonunda Zeus, Persephone'yi alması için Hermes'i gönderdi ve Hades de Persephone'nin yılın üçte ikisini yeryüzünde geçirmesine izin verdi. Yunanlar baharı onun her yıl yeraltı dünyasından yeryüzüne çıkmasıyla açıklıyorlardı.

YUKARIDA Bitki tanrıçası Persephone ile Hades yeraltı krallıklarındaki tahtta oturmaktadır. SAĞDA Vişnu'nun avatar'larından Varaha karayı suyun dışına taşımaktadır.

Dünyanın Yaratılışı

Dünyanın tam olarak nasıl oluştuğu birçok hikâyede anlatılmıştır. Bazı kültürlere göre dünya dişiydi, eril gökyüzünün dengi niteliğindeydi ve bu ikisinin birbirinden ayrılması yaratılışın devamı için çok önemliydi. Yahudi-Hıristiyan geleneğinde Tanrı dünyayı, sularla gökyüzünü ayırdıktan sonra, üçüncü günde yarattı.

Dünyanın oluşumuna ilişkin birçok mitolojik anlatıya göre yeryüzü suların içinden ortaya çıktı. "Yeryüzü Dalgıçları"na dair öyküler Amerika Yerlilerinin, Japonların, Sumatralıların ve Hintlilerin geleneklerinde görülebilir. Çoğunlukla su kaplumbağası ya da böcek gibi alçakgönüllü, mütevazı bir yaratık, dünyayı su yüzüne çıkarmak için suya dalar ve parça parça kuru kara parçasını yaratır.

Çin mitolojisinde Pan Gu göğü ve yeryüzünü –*yin ve yang*– bir baltayla ayırmıştır. İnsanüstü boyutlara ulaşan Pan Gu daha sonra gökyüzünü daha da yukarı itti. Bu hareketinden sonra ölen Pan Gu'nun bedeni dağlara, nefesi rüzgâra ve kemikleri de mineral birikintilerine dönüştü.

AŞAĞIDA Sanatçı John Martin, Tanrı'nın dünyayı yaratışındaki korku, merak ve dramatik duyguları yakalamıştır. SAĞDA Çin mitolojisinde Pan Gu, cenneti ve yeryüzünü ayırarak dünyayı yarattı.

Axis Mundi

Ortaçağ Avrupa'sından bilinen dünyanın haritaları (mappae mundi) çoğunlukla Kral Süleyman Tapınağı'nın bulunduğu ve Mesih'in çarmıha gerildiği Kudüs'ü merkez alır. Buna karşılık, Hindular ve Budistler için evren Meru Dağı'nın (Sumeru) çevresindedir (bkz. s. 95); İskandinav geleneğinde ise dünyanın merkezi Yggdrasil ağacının gövdesidir (bkz. s. 118). Tatar mitolojisi dünyanın merkezindeki bir ağacın doğrudan cennetle bağlantılı olduğunu ileri sürer.

Azteklere göre, dünyanın odağı kendi başkentleri Tenochtitlan'dı. Texcoco Gölü kıyısındaki Tenochtitlan 1350 dolaylarında bir kartalın iri bir kaktüsün üstünde bir yılanı yerken görüldüğü yerde kuruldu; anlaşılan, bu olay tanrı Huitzilopochtli'den gelen bir işaret sayılmıştı. Kentin göbeğinde Huitzilopochtli'ye ve Tlaloc'a adanmış sunaklarıyla geniş bir tapınak vardı.

YUKARIDA SOLDA Bir kaktüse tünemiş kartal görüntüsü, Tenochtitlan'ın kurulacağı yeri belirledi. Kanallar kenti dörde ayırmaktaydı. YUKARIDA SAĞDA Omphalos ("göbek") olarak anılan bu taş, Yunan evreninin Delphoi'deki merkezinin işaretiydi. SAĞDA Bu mappa mundi Kudüs'ü dünyanın merkezine oturtuyor. Haritada Babil Kulesi ve Nuh'un Gemisi de tasvir ediliyor.

Dağlar

Dünyanın göğe en yakın kesimleri olan dağlar her zaman kutsal anlam taşımıştır. Ücra olmaları tanrılar için ideal ikamet yerleri sayılmalarına yol açar. Kenan tanrılarının Ugarit yakınındaki Saphon Dağı'nda, Yunan tanrılarının ise Olympos Dağı'nda yaşadığına inanılırdı.

Hindu geleneğindeki Meru Dağı afallatıcı boyutlarda bir dağdır (*bkz.* s. 40-41). Budistlerce Sumeru olarak bilinir ve kum saati biçimindeki bu devasa doruğa ancak yürek saflığıyla tırmanılabileceğine inanılır. Cava'daki Borobudur Tapınağı'nda ve Kamboçya'daki Angkor Wat'ta Sumeru'ya benzetme çabası görülebilir. Aztek tapınakları insan yapımı doruklardır, aynen Babil ve Sümer zigguratlarının kutsal dağların timsalleri olmaları gibi.

Japonlar Fuji Dağı gibi dağları çoğu kez ölümlülere yasak kutsal yerler sayar. Şinto efsanesinde, tanrıların yurdu Takamagahara'nın Takaçiho Dağı'nın üstünde olduğu belirtilir. Kadim cin Sanşin'in Kore'deki bütün dağlara hükmettiği, ülkenin efsanevi ilk kralı Dangun'un sonradan bir dağ ilahına dönüştüğü söylenir.

Musevi-Hıristiyan geleneğine göre, Musa Sina Dağı'nda Tanrı'yla konuşarak, On Emir'i alır. İncil'ler de Şeytan'ın Mesih'i bir dağın zirvesine götürdüğü ve ona görebileceği her şeyi sunduğu anlatılır.

Kuzey Fransa'daki St-Michel Dağı, aynı adlı manastırın kurulmasından önce bir Kelt güneş mabediydi; Kral Arthur'un orada bir devi kılıçla öldürdüğüne inanılır. Batı İzlanda'daki Helgafel adlı kutsal dağa ancak yıkandıktan sonra bakmak gerektiği ve yaşayan yaratıkların oraya çıkınca dokunulmaz hale geldiği söylenirdi.

Bazıları inancın dağları oynattığını söyler, ama Hint Ramayana destanında Hindu maymun tanrı Hanuman aynı marifeti gösterir. Yaralı Lakşmana'nın tedavisi için bazı şifalı bitkileri toplamak üzere bir dağa gönderildiğinde, bütün dağı getirmenin daha kestirme olacağına karar verir.

SOLDA Hokusai'nin tasviriyle Budist tanrıların yaşadığı kum saati biçimli Sumeru. YUKARIDA Japon kahraman Tadatsune'nin Fuji Dağı tanrıçasıyla buluşması.

SOLDA Japon folklorunun yapraktan elbiseler giyen vahşi dağ kadını Yama Uba. Devasa balta Kintaro'ya aittir. YUKARIDA SOLDA Yunan devi Enkelados başkaldırdığı için Etna Dağı'nın altına gömülür. Öfkeli soluması yanardağı kızıştırır. YUKARIDA SAĞDA Hindu tanrısı Hanuman bütün dağı alıp Lakşmana'ya götürmeye karar verir. Burada güneşi kuyruğundan tutuyor.

Tufanlar

Birçok Asya ve Ortadoğu mitolojisi kırgın bir tanrının insanların kökünü kazımaya karar verdiği bir tufan anlatısı içerir. En ünlü örnek *Kitabı Mukaddes* kaynaklıdır: Nuh peygambere her hayvan türünden örnekleri koymak üzere bir gemi inşa etmesi bildirilir. Tufandan sonra Nuh ve ailesi dünyanın yeniden insanla dolmasını sağlar.

Mezopotamya'nın *Gılgamış Destanı*'nda tanrı Enki, kardeşi Enlil'in büyük bir tufan göndermesinden önce Utnapiştim'e bir gemi yapmasını öğütler. Yağmur dindiğinde, Utnapiştim inip Enlil'e kurban sunmadan önce, kuru toprak bulması için bir kuşu (muhtemelen Nuh hikâyesindeki gibi bir güvercini) dışarı salar.

Yunan mitolojisinde Zeus da dünyayı sular altında bırakmaya karar verir. Ancak Prometheus oğlu Deukalion'u erzak dolu bir sandık hazırlaması için önceden uyarır. Deukalion ve karısı dokuz gün boyunca sandıkla suda dolaşır. Karaya döndüklerinde, Zeus insan soyunu yeniden yaratmalarına izin verir; omuzlarının üzerinden taşlar fırlatmalarıyla birlikte insanlar belirir. Hindu mitinde Vişnu'nun (balık biçimine bürünerek) tufandan haberdar ettiği insan Manu zamanında kurtulmayı başarır.

Tezcatlipoca ("tüten ayna") Quetzalcoatl'la birlikte Aztek yaratıcı tanrılarından biridir. Dünya hâlâ tamamen sular altındayken, kavgaya tutuştuğu toprak canavarı Cipactli onun ayağını ısırıp koparır. Daha sonra Cipactli yakalanıp öldürülür ve bedeni karaya çevrilir.

SOLDA Kitabı Mukaddes'te anlatılan Büyük Tufan'da insanlar yok edilir. YUKARIDA Toprak canavarı Cipactli'yle dövüşen Aztek tanrısı Tezcatlipoca. Cipactli'nin bedeni karaya dönüşür.

SOLDA Eski Ahit'te anlatılan tufanda hem hayvanlar, hem de insanlar ölüme mahkûm edilir. SAĞDA Nuh'un Gemisi burada özenle yapılmış bir sandıktan ibaret gibi görünür.

Denizler

Denizler ticaret ve macera için fırsatlar sunmakla birlikte, gizem ve tehlikeyle de doludur: özellikle de *Kitabı Mukaddes* canavarı Leviathan ya da İskandinav efsanesindeki Midgard Yılanı gibi tuhaf yaratıklar açısından.

Denizlere ve okyanuslara genellikle tanrılar hükmeder. İskandinav mitolojisinde deniz tanrısı dev Ægir'ken, Yunan hikâyelerinde denizlerin hâkimi, Zeus'un ve Hades'in kardeşi Poseidon'dur. Deniz *nympha*'sı Amphitrite'yle evlenen Poseidon'un çocukları arasında canavar Kharybdis (bkz. s. 326) ve deniz kabuğuyla dalgaları dindirebilen tanrı Triton yer alır. Poseidon kızdığında su baskınlarına ve depremlere neden olabilir; onu yatıştırmak için atlar ve arabalar denize fırlatılır. Uranos'un iğdiş edilmiş cinsel organlarından çıkan Aphrodite de denizde doğmuştur.

Watatsumi adlı bir Japon deniz cini vardır. Bir gün balıkçı Huri kardeşinin olta kancasını denize düşürünce, geri almak için Watatsumi'nin kırmızı-beyaz mercan sarayına iner. Orada tanıştığı, deniz tanrısının kızı Otohimey'le evlenir. İkisinin torunlarından biri, Japonya'nın ilk imparatoru olur. Watatsumi kişiliği bazen deniz ejderhası Ryujin'le birleştirilir. Başka bir hikâye Ryujin'in sarayını üç günlüğüne ziyaret eden Uraşima Tar adlı ikinci bir balıkçıyı anlatır; adam köyüne döndüğünde, aradan 300 yıl geçtiğini fark eder.

AŞAĞIDA Antik Yunanlarca "Denizin Yaşlı Adamı" olarak bilinen Nereus elinde üççatalla denizatı üstünde. SAĞDA Şimdiki Cezayir'in Sirta kentinde bulunan bu 4. yüzyıl mozaiğinde, Poseidon ve Amphitrite dört atlı bir arabayı sürüyor.

YUKARIDA SOLDA *Triton denizi sakinleştirmek için deniz kabuğunu üflüyor.* YUKARIDA SAĞDA *Klasik çağ tanrıçası Aphrodite (Venüs) dalga köpüğünden çıkarak denizde doğar.* SAĞDA *William Blake'in ürkütücü bir deniz yılanı olarak tasvir ettiği Leviathan (altta). Onun yukarısında karadaki dengi Behemot görülüyor.*

105

SOLDA *Japon prensesi Tamatori bir inci çaldığı için Ryujin tarafından kovalanıyor.* SAĞDA *Okyanusların hâkimi Hindu tanrısı Varuna.*

వరుణమంతు   Dieu de la pluie
విఖ్ణమంతు 115

Nehirler

Nehirler dünyanın her yanında kısmen tatlı su kaynakları olmaları bakımından özel bir yerel anlam taşır. Mezopotamya kültürlerini iki nehir, yani Dicle ve Fırat tanımlarken, Mısır uygarlığında her yıl taşarak tarıma hayat veren Nil merkezi yer tutar. Bu yıllık taşkını sağladığına inanılan Mısır tanrısı Hapi çoğu kez Yukarı ve Aşağı Mısır krallıklarını aynen Nil gibi birbirine bağlar halde tasvir edilir.

Hindistan'ın en önemli nehri, Hinduizm-de tanrıça Ganga olarak kişileştirilen Ganj'dır. Ganga insanları günah-lardan arındırmaya yardımcı olmak üzere yeryüzüne düşer (ve Şiva'nın başına konar). Başka bir Hindu nehir ilahı Saraswati ise Brahma'nın eşidir.

Kitabı Mukaddes'te cennetin dört nehri (Fırat, Dicle, Pişon ve Gihon) Eden Bahçesi'nden doğar. Yunan mitolojisinde Akheron Nehri, sağları ölülerden ayırır. Yeraltından gelen diğer önemli nehirler Styks ("Nefret"), Phlegethon ("Hüzün") ve Kokytos'tur ("Matem"). Tanrılar Styks üzerine yemin eder ve Akhilleus yenilmez olması için daha bebekken içine daldırılır. Japon Budist geleneğinde ölülerin Sanzu Nehri'ni aşması gerekir; iyiler bir köprüden, kötüler ise ejderhalarla dolu sulardan geçer.

SOLDA *Tanrı Hades yeraltından çıkan dört nehrin kaynağı başında duruyor.* SAĞDA *Antik Yunanların Styks Nehri gibi, Japon mitolojisinde de ölüler Sanzu Nehri'nden geçer.* AŞAĞIDA *Ölülerin kayıkla Styks Nehri'nde taşınışı.*

SOLDA Nil'in taşmasını sağlayan Mısır tanrısı Hapi. Burada aynen Nil gibi, Yukarı ve Aşağı Mısır'ı birbirine bağlıyor. SAĞDA Ganj tanrıçası Ganga'nın gökyüzünden inip Şiva'nın başına konuşu.

Pınarlar

Kelt mitolojisinde pınarlar tanrıçaların yurdudur. Bunun bir örneği Romalıların Aquae Sulis (İngiltere'nin güneybatısında şimdiki Bath) olarak andığı yerle bağlantılı bir yerel ilah olan Sulis'tir. Germen mitolojisinde pınarlar Wotan'la (Odin) ilişkilendirilir; Bremenli Adam, 11. yüzyılda şimdiki İsveç'in Uppsala kentindeki tapınakta bulunan bir kutsal pınarda insan kurbanların nasıl boğulduğunu anlatır.

İskandinav dünya ağacı Yggdrasil üç Norn (bkz. s. 192) tarafından korunan Urd Kuyusu'yla sulanır. Bu kuyunun çok kutsal olan suyunun dokunduğu her şeyi (orada su içtiği söylenen kuğular gibi) beyaza çevirdiğine inanılırdı.

Antik Yunan'da her pınarın kendi *nympha*'sı vardı. En ünlü pınar Musa'lar için kutsal olan, yaratıcılığın ve bilginin kaynağı sayılan Makedonya'daki Pieria Pınarı'ydı. Delphoi Kâhini'ne başvuranların önce Kastalia Pınarı'nda arınması gerekirdi; Apollon tarafından öldürülünceye kadar canavar Python'un bu kaynağı koruduğu söylenir.

Kitabı Mukaddes'te Musa'nın İsrailoğullarını Mısır'dan çıkarıp Vaat Edilmiş Topraklar'a götürüşü sırasındaki mucizelerinden biri, asasıyla bir kayaya vurup suyun fışkırmasını sağlaması olarak anlatılır. Sonraki Hıristiyan ikonografisinde çeşmeler yaşamla ve kurtuluşla ilişkilendirilir.

AŞAĞIDA *Klasik mitolojide çeşmeler ve pınarlar nympha'larla ilişkilendirilir.* SAĞDA YUKARIDA *Burada üçlü biçimde görülen Coventina, bir Roma-İngiliz pınar ve kuyu tanrıçasıdır. Kabartma İngiltere'nin kuzey kesimindeki bir kuyuda bulunmuştur.* SAĞDA AŞAĞIDA *Uppsala'daki pagan tapınağının kurban kuyusuyla birlikte sanatçı gözünden tasvir edildiği gravür.*

NTIS NYMPHA SACRI SOM
M NE RVMPE QVIESCO

NAVE NAVE MOE

SOLDA YUKARIDA Apollon'un ve Musa'ların Parnassos Dağı'nda tasvir edildiği bu tabloda, ilham kaynağı Kastalia Pınarı da yer alır. SOLDA AŞAĞIDA Musa'nın asasıyla bir kayaya vurup su çıkararak İsrailoğullarını kurtarışı. YUKARIDA Paul Gauguin'in Polinezya'da bir kutsal pınarın gizemini yansıtan tablosu.

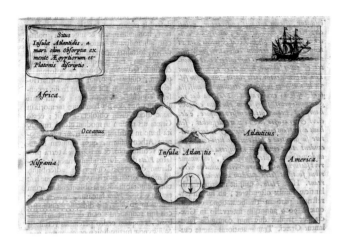

Adalar

Yunan tanrıları Apollon ve Artemis'in Ege Denizi'ndeki Delos Adası'nda doğduğu söylenir. Bu öyle sıradan bir ada değildir: Hera, kocası Zeus'tan gebe kaldığını fark ettiği Leto'ya karada veya suda doğum yapmayı yasaklar. Ancak suda yüzdüğüne inanılan Delos Adası ideal bir çözüm sunar. Homeros'a göre, rüzgâr tanrısı Aiolos da Aiolia adlı başka bir yüzen adada yaşar.

Arthur efsanesinde Avalon Adası Excalibur kılıcının dövülüp yapıldığı yerdir. Büyücü Morgana le Fay'in yurdu olarak, güzel elmalarıyla tanınan büyülü bir adadır. Bazı efsaneler Kral Arthur'un ölmek üzereyken oraya götürüldüğünü anlatır.

Bazı adalar yeryüzündeki cennetlerdir. Çin mitolojisinde Penglai Adası, Sekiz Ölümsüz'ün yurdudur. İrlanda Kelt efsanelerinde, Tír na nÓg hastalığın ve ölümün olmadığı gençlik adasıdır. Bir efsaneye göre, şair Oisín bir yıl orada kaldıktan sonra İrlanda'ya dönüşünde aradan 300 yıl geçtiğini fark eder.

Yeni Zelanda'yı oluşturan Kuzey Adası ve Güney Adası'na Maorilerin verdiği adlar Te Ika-a-Maui ("Maui Balığı") ve Te Waka-a-Maui'dir ("Maui Kanosu"). Polinezya oyunbazının ikincisinde ayakta dikildiği ve ilkini sudan çekip çıkardığı söylenir.

En çok tanınan efsanevi ada ise muhtemelen hayali Atlantis'tir. Platon'a göre, ada sakinlerinin İÖ 9600 dolaylarında Atina'yı istila etmeye kalkışıp başarısızlığa uğramasından sonra ada batmıştı.

SOLDA Oyunbaz Maui'nin Yeni Zelanda'ya ait Kuzey Adası'nı sudan çekip çıkardığı söylenir. YUKARIDA Athanasius Kircher'in çizimiyle Atlas Okyanusu'nun ortasındaki Atlantis. SAĞDA Çin mitolojisinde Sekiz Ölümsüz'ün yurdu olan efsanevi Penglai Adası.

Ağaçlar

Bütün efsanevi ağaçların en ulusu, İskandinav mitolojisine göre evreni ayakta tutan Yggdrasil adlı devasa dişbudaktır. Kökleri yılanlar tarafından sürekli kemirilirken, doruğunu bir kartal kollar. Ağaçlar Germen mitolojisinde önemli bir rol oynar. Uppsala'daki tapınakta bulunan devasa bir büyülü ağacın yıl boyunca yeşil kaldığına inanılırdı; Keltler gibi Germen kabileleri de kurban sunmak için kutsal koruları kullanırdı.

Kutsal korulara dünyanın her yanında rastlanır. Roma'ya yakın Ariccia'daki bir koruyla ilişkilendirilen antik ayinler, James Frazer'ın *Altın Dal* kitabına ilham kaynağı olmuştur. Meşe koruları özellikle Roma av tanrıçası Diana'yla ilişkilendirilir. Druid'ler için de meşe kutsaldır. Nijerya'da Osun-Osogbo kutsal korusu bereket tanrıçası Osun'a adanmıştır.

Hıristiyan inanışında Âdem'in gözden düşüşü Bilgi Ağacı'nın yasak meyvesini yemesiyle başlar; doğruluğu kuşkulu bazı efsaneler Mesih çarmıhının bu ağaçtan yapıldığını ileri sürer.

Mezopotamya sanatında karşımıza çıkan Hayat Ağacı'nı ise rahipler, tanrılar ya da krallar kollar. Taoist mitler şeftali ağaçlarının ölümsüzlük sağladığını anlatır; aynı şekilde Germen mitolojisinde Idunn'un altın elmalarıyla sonsuz yaşama kavuşulduğuna inanılır.

Budizmin kurucusu Siddhartha Gautama'yı annesinin bir sal ağacı altında, dallardan birine sarıldığı sırada doğurduğu söylenir. Daha sonra altında aydınlanmaya eriştiği kutsal incir ağacı günümüzde Bodhi ağacı olarak bilinir.

Bir efsaneye göre, Aphrodite'nin gönlünü kaptırdığı yakışıklı Adonis bir ağaçtan doğmuştur; annesi sonradan ağaca çevrilmiş olan Myrrha'dır. Bazı Mısır mitlerine göre, İsis ve Osiris bir ağaçtan, akasyadan doğmuştur.

YUKARIDA *Dryas'lar özellikle meşe ağaçlarıyla ilişkilendirilen klasik ağaç cinleridir.* SAĞDA *Yunan nympha'sı* Daphne *kendisine vurulan Apollon tarafından kovalanırken bir defne ağacına dönüşür.*

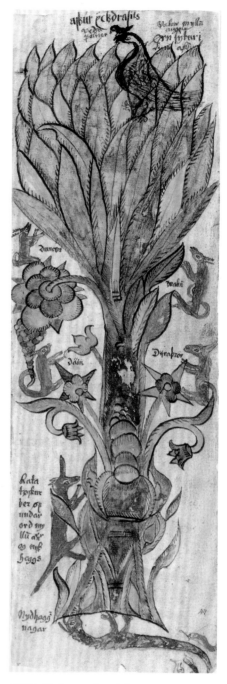

SOLDA Bir Japon ağaç cini. YUKARIDA İskandinav dünya ağacı Yggdrasil ve içinde yaşayan hayvanlar. SAĞDA Meryem Ana'nın ve Havva'nın garip bir ağacın meyveleriyle bir kalabalığı besleyişi, solda kurtuluşu, sağda ise ölümü simgeler.

3

İNSANOĞLU
IIIIIIIIIIIIIIIIIIIIIIIIIIIIIIIIIIIIIIIII

Varlıklarının bilincinde olan insanlar kendilerini açıklamak ve bir anlatının içine oturtmak isterler. Nereden geliyoruz? Bizi kim, niçin ve nasıl yarattı? Her ne kadar biz bir tür amaç taşıdığımıza inanmaktan hoşlansak da, mitlerin çoğu insanlığın rolünü küçümser. Mezopotamya mitolojisinde tanrılar insanı sırf sulama kanalı kazma işi için yaratır. *Kitabı Mukaddes*'e ve Maya metni *Popol Vuh*'a göre, dünyaya gelişimiz yaratıcıya şükretmek içindir.

Peki, nasıl yapıldık? Kadim Mısırlılar koç başlı tanrı Khnum'un insanları kilden yaptığına inanırdı. Avustralya Yerli miti insanın kilden salındığını belirtir: İnsan önceden vardır ve ilk yaratıcıların yaptığı tek şey bizi ilk balçıktan kesip çıkarmak olmuştur.

Başka gelenekler, bazen insanların aşamalı olarak ortaya çıkışını anlatır. Azteklere göre, insan Beş Güneş'e denk düşen beş çağdan sırasıyla geçerek, bir alt biçimden daha üst bir biçime doğru evrim gösterir. Yunan mitolojisi ise sırayı tersine çevirerek, insanın (Kronos yönetimindeki) görkemli Altın Çağı'ndan sefalet içinde yaşanan Demir Çağı'na doğru inişe geçtiği bir düzeni öngörür.

Bazı kaynaklarda insanoğlu anlık ve hazır bir oluşumla belirir. Güney Amerika Çipça mitine göre, ilk kadın bir gölden çıkar ve doğurduğu oğluyla birleşerek soyunu çoğaltır. (Çoğu mitoloji, en azından yaratılışın ilk aşamalarında enseste hoşgörüyle bakar.) *Kitabı Mukaddes* anlatımında, Tanrı'nın emriyle yaratılan Âdem kendi yaratıcısının suretindendir; diğer geleneklerde ise insanlığın önemsiz konumuna karşın, tanrıların çoğu insan biçimi taşır.

Havva ise Âdem'in bir kaburgasından yaratılmıştır. Birçok mitte erkeğin kadından önce yaratıldığı belirtilir (böylece bir hiyerarşi kurulur ya da haklı gösterilmeye çalışılır). Kadınların mitolojide belirsiz bir yer tutması, günümüz toplumundaki rollerini yansıtır. Yunan mitolojisinde tanrılar Pandora'yı erkekler arasında fesat çıkarmak için gönderir. Maya metni *Popol Vuh*'a göre, Gucumatz ve Tepeu adlı tanrılar yarattıkları erkeklerin fazla kusursuz olmasından çekinip kadınları yaratarak bu hükümlerini gölgelemeye karar verir. Oysa *Popol Vuh*'un açık seçik belirttiği üzere, üremede her iki cinsiyet gereklidir. Cinsiyetler arası farklılıklar Yunan Herma ve Kelt Sheela-na-gig heykellerinde büyütülmüş cinsel organlarla vurgulanır.

ÖNCEKİ SAYFA
Kitabı Mukaddes'e
göre ilk erkek ve ilk
kadın olan Âdem
ile Havva Eden
Bahçesi'nde.
SOLDA İnsanoğlunun
Gümüş Çağı'nda
yaşam tarıma
ve hayvancılığa
dayalıdır.
SAĞDA Tanrı'nın yeni
doğmuş ay altında
insanı yaratışı.

Birçok mitoloji erkek ve kız kardeşler arasındaki bağa odaklanır. Tanrılar genellikle insanların anlayabileceği düzgün soyağaçlarına oturtulur ve insan ailelerinde olduğu gibi, sıkça ufak didişmelere ve kıskançlıklara kapılır. Fani dünya açısından, *Kitabı Mukaddes*'teki Kabil ile Habil hikâyesi savaşan kardeşlerin bir ilkörnek masalıdır; kardeşlerden biri Tanrı'nın gözdesi olmak için öbürünün canına kıyar. Roma efsanesinde Romulus ikizi Remus'la tartışır ve onu öldürür.

İkizlerin belirli bir büyüleyiciliği vardır; çoğu kez biri iyi, diğeri ise kötüdür. Nijerya Yorubaları ikizlere son derece değer verir (ve dünyada ikiz doğum oranın en yüksek olduğu halktır). İkizlere adanmış Orişa İbeji adlı bir Yoruba ilahı vardır. İkizlerden biri ölünce, dengeyi korumak için bir heykelle temsil edilir.

Kitabı Mukaddes'te Aziz Paulus'un Korintoslulara İlk Mektubu insan bedenini bir tapınak olarak nitelendirir. Bedenin farklı kısımları kendine özgü simgesel anlam taşır: Örneğin, kadim Mısır'da gözler tanrıları temsil ederken, kalp ruhun yuvası olarak görülür. Ölüleri öbür dünyaya hazırlamaya dönük Mısır mumyalama işleminde beynin değersiz sayılıp çıkarılması, kalbin ise bedende bırakılması gariptir. Mitlerde saç da yer alır ve *Kitabı Mukaddes*'in Samson kişiliğinde olduğu gibi, bazen güçle ilişkilendirilir.

Mitler insan davranışını açıklamaya çalışır. Zihnimizin iç işleyişi bugün bile bizim için büyük bir gizemdir. Birçok mit tuhaf gelen uyku sürecine ilgi duyar ve rüyalar daima bir vahiy kaynağı olmuştur. *Eski Ahit*'te anlatıldığı biçimiyle Yusuf'un yaklaşmakta olan kıtlığı ya da Yakup'un merdivenle gökten inen melekleri görmesine benzer rüyalar, insanları doğaüstü dünyaya bağlar.

Sfenks'in Oidipus'a sorduğu bir ebedi bilmece şöyledir: Hangi yaratık sabah dört bacak, öğleden sonra iki bacak ve akşam üç bacak üstünde yürür? Cevap emekleyen, yürüyen ve ardından bir bastona yaslanan insandır. Yaşlanma, en büyük gizem olan ölümün habercisidir. Mitolojide ölüm mutlaka son değildir; çoğu kez sadece simgesel olan ölümü yeniden doğuş ya da yeni yaşama uyanış izler.

Birçok kişinin iyiliği için ölüm anlamındaki özveri mitolojide yaygın bir ahlaki temadır; bu temaya Hıristiyanlıkta, Aztek dünyasında ve Odin'in kendini astığı İskandinav mitolojisinde rastlanır. Kastor (Castor) ve Polydeukes (Pollux) gibi diğer figürler başkasının yerine ölmeyi (ya da yarı yarıya ölmeyi) seçer. Her şeye rağmen ölümden sonra diriliş vaadi vardır: Ragnarök sırasında herkesin öldüğü belirleyici nihai kavgadan sonra bile en azından bazı İskandinav tanrılarının iyi tanrı Balder öncülüğünde yeniden doğacağına inanılır.

SOLDA
Mezopotamya bereket tanrıçası İştar, denizdeki ve havadaki yaratıklarla çevrili görülüyor.

SAĞDA
Bir 15. yüzyıl yazmasında tasvir edildiği haliyle insanoğlunun kıyamet günü.

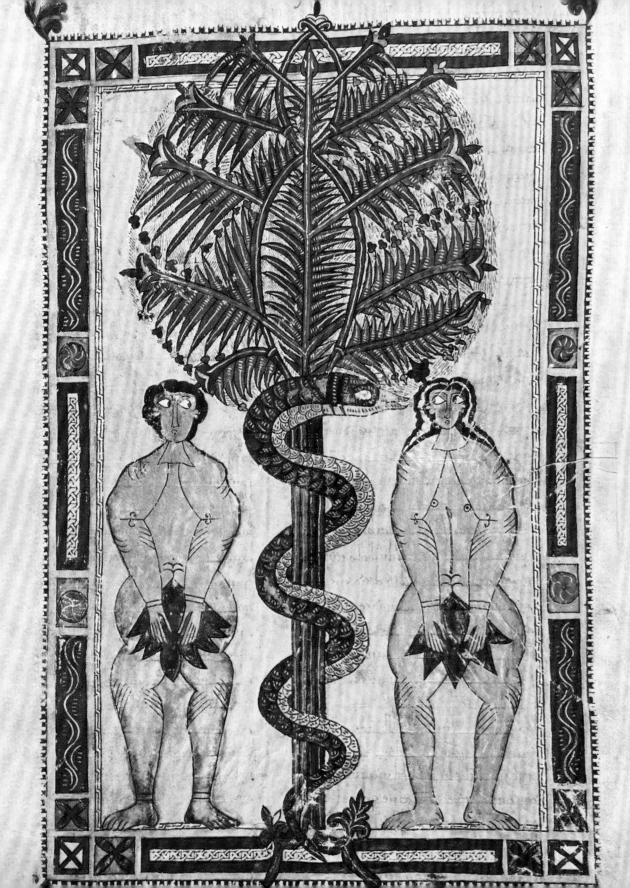

İnsanın Yaratılışı

Polinezya mitolojisine göre, ilk insan Tiki kırmızı toprakboyadan yapılmıştır. Maya metni *Popol Vuh* tanrı-büyücü Gucumatz ve Tepeu'nun insanları çamur ve kilden yapmak için uğraştıktan sonra mısırda karar kıldığını anlatır. Bazı Yunan geleneklerinde Prometheus, insanların sudan ve kilden çıkışına örnek oluşturur. *Kitabı Mukaddes*'in *Tekvin Kitabı*'nda yer alan ikinci yaratılış hikâyesi şöyledir: "RAB Tanrı, Âdem'i topraktan yarattı ve burnuna yaşam soluğunu üfledi. Böylece Âdem yaşayan varlık oldu."

Bir Yunan geleneği Zeus'un insanları (Eden Bahçesi'ndekine benzer bir durumla) çalışmalarına gerek olmayan bir Altın Çağı'nda yarattığını belirtir. Bunu Gümüş ve Tunç çağları izler (ikincisi, tarihteki Tunç Çağı'yla karıştırılmamalıdır); ardından kahramanlar sahneye çıkar. Son dönem ise bugün içinde yaşadığımız Demir Çağı'dır. Hiçbir şey kusursuz değildir; her yanı savaş ve çekişme, zahmet ve uğraş sarar. Deukalion ve eşi Pyrrha tufandan sonra (*bkz.* s. 99), omuzlarının üzerinden taşlar fırlatarak dünyayı yeniden insanlarla doldurur: İlkinin taşları erkeklere, ikincisinin taşları kadınlara dönüşür.

Mitoloji ayrıca insan soyunun büyük çeşitliliğini açıklamaya çalışır. Japon geleneğinde ilk çift İzanagi ve İzanami olarak anılır. Bir mızrağı başlangıçtaki deniz suyuna daldırırlar ve mızraktan düşen bir damlayla oluşan ilk adada yaşarlar. İlk çocukları sakat doğar, çünkü düğün töreninde kadın, yani İzanami önce konuşmuştur. İkinci sefer önce İzanagi konuşur ve daha sonra birçok sağlıklı çocukları olur. Mezopotamya yaratıcı tanrıçası Nammu'ya kafa tutan (sarhoş) ana tanrıça Ninmah, kendisinin de insanlar yaratabileceğini ileri sürer. Yarattığı insanların hepsi sakat (bazıları kör, bazıları topal) olsa da, Enki onlara toplumda birer rol bulur.

SOLDA Âdem ile Havva yasak meyveyi yedikten sonra çıplaklıklarından utanır.
SAĞDA Japonya'nın ilk erkeği ve kadını İzanagi ile İzanami kutsal bir mızrak kullanarak adaları yaratır.

REPARATIO GENERIS HVMANI

SOLDA *Ragnarök kıyamet senaryosunda İskandinav figürleri Líf ile Lífthrasir'in sağ kalacağı ve dünyayı yeniden insanlarla dolduracağı öngörülür.*

YUKARIDA *Deukalion ve eşi Pyrrha'nın fırlattığı taşlar insanlara dönüşüyor.*

AŞAĞIDA *Bazı mitler Prometheus'u insanın yaratıcısı olarak niteledirir. Burada yarattığı şeylere ateşle can verirken görülüyor.*

Kadınlar

Mitler çoğu kez kadınları başa dert açan varlıklar gibi sunar. Yasak meyveyi Âdem'in yemesine karşın, onu kandıranın Havva olduğu söylenir. Yunan Pandora mitine göre, ilk kadın olan bu can sıkıcı figür, Prometheus'un ateşi çalması üzerine insanları cezalandırmak için yaratılır. Zeus demirci Hephaistos'a kilden güzel bir kadın yaratma görevi verir. Ardından Athena'nın dokuma yapmayı öğrettiği kadına Aphrodite cazibe ve Kharis'ler altın gerdanlıklar verir; Hermes de yalancılığı ve kurnazca ikna gücünü ekler. Pandora'ya ayrıca büyük bir kutu verilir. Meraka kapılıp bunu açınca, dünyaya her türlü kötülüğü salar. İçeride sadece umut kalır. Ne var ki, mitlerdeki kadınlar doğru sözlü, cesur ve hatta şiddete düşkün de olabilir. Yunan mitolojisinde Amazonlardan cesaretleri nedeniyle korkulur. Odin'in (Wotan) hizmetinde çalışan *Valkyrja*'lar dehşet vericidir. Savaşta kimin öleceğine karar verirler ve ardından seçilmiş az sayıda kişiyi Valhalla'ya geri taşırlar.

Diğer bazı kadınlar baştan çıkarıcıdır. Yahudi mitolojisindeki Lilith, Mezopotamya tanrıçası İştar'ın çarpıcı cinselliğini devralmış gibidir. Âdem'le aynı anda ve (Âdem'in bir kaburgasından yapılan Havva'nın aksine) aynı topraktan yaratılmıştır. Ama Âdem'e hizmet etmeyi reddeder ve onun yerine baş melek Samael'le ilişkiye girer. *Yeni Ahit*'teki dengi olan Salome, Vaftizci Yahya'nın başını kestirmek için baştan çıkarıcı dans yeteneğini kullanır.

SOLDA *Pygmalion yarattığı kadın heykeline ürkek ve şaşkın halde bakıyor.*
SAĞDA *Birçok kaynak Medea'yı bir cadı olarak nitelendirir. Bu tasvirde, İason'un Altın Post'u çalabilmesi için bir ejderhayı uyutuyor.*

EVA PRIMA PANDORA

YUKARIDA Bu ilginç tablo Havva ve Pandora mitlerini tek bir figürde birleştirir.
SAĞDA Pygmalion yaptığı heykelin canlanışını mest olmuş halde izliyor.

İkizler

Roma'nın kuruluş mitindeki iki figür Romulus ile Remus'un anne tarafından Aineias'ın soyundan geldiği, babalarının ise Herakles ya da Mars olduğu söylenir. Büyüdükleri zaman Roma'nın kurulacağı yer konusunda tartışırlar ve bunu izleyen kavgada Remus öldürülür.

Bazen ikizler kutuplaşır. Bazı Zerdüştçü hikâyelere göre, Ahura Mazda ve Angra Mainyu aynı anneden doğar; ama ilki iyiliğin ve bilgeliğin, ikincisi ise kötülüğün timsalidir. Bu temel ikilik Zerdüştçülüğün tamamını şekillendirir. Aztek mitolojisinde Xolotl ölümü, ikizi olan Quetzalcoatl ise hayatı temsil eder; biri Akşamyıldızı, diğeri Sabahyıldızı'dır.

Maya *Popol Vuh* metninin ana karakterleri arasında Hunahpu ve Ixbalanque adlı Kahraman İkizler yer alır. Canavarları öldürmeleriyle tanınırlar; yeraltına inip oranın ilahlarını bir top oyununda yenerler. Daha sonra güneşe ve aya dönüşürler.

Klasik mitolojide şöhretli ikizler Kastor ile Polydeukes karşımıza çıkar. Dioskuroi olarak bilinen bu ikilinin anneleri ortak, babaları ayrıdır; bu yüzden Kastor ölümlü, Polydeukes ise ölümsüzdür. Kastor öldüğünde, Polydeukes onu kurtarmak için ölümsüzlüğünün yarısından vazgeçer. Sonradan birlikte Gemini ("İkizler") takımyıldızına dönüştürülürler. Benzer şekilde Herakles'in babası Zeus'ken, ikizi İphikles ölümlü Amphitryon'un oğludur.

SOLDA *Maya mitolojisindeki Kahraman İkizler'in yeraltına indiğinde karşılaştığı Xibalba ilahlarından biri.*
SAĞDA *Romulus ile Remus'u bir dişi kurt tarafından emzirilirken gösteren ünlü heykel.*

YANDA Yoruba kültüründe
ve mitolojisinde ikizler
büyük önem taşır ve heykel
olarak sıkça tasvir edilir.
SAĞDA Kastor ile
Polydeukes klasik
mitolojinin ünlü ikizleri ve
özverinin timsalleriydi.

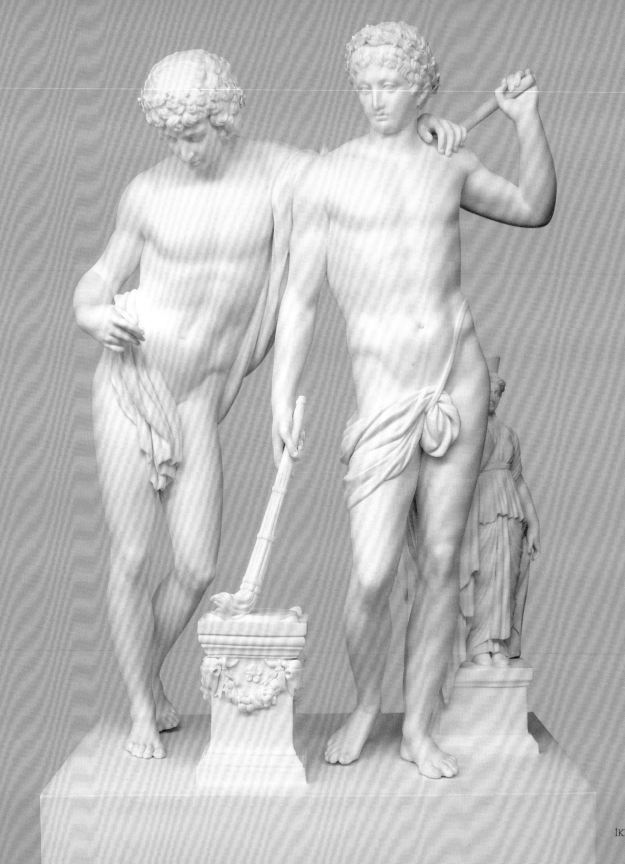

Cinsellik

Âdem ile Havva'nın Eden Bahçesi'nde Tanrı'ya itaatsizliğinin doğrudan bir sonucu olan "ilk günah" öğretisi her zaman cinsellikle yakından ilişkili olmuştur ve Hıristiyanlar zincirin ancak Meryem Ana'yla kırıldığına inanır. Yunan mitolojisinin bakire tanrıçası Artemis'in nedimeleri bekâret yemini ederler. Kallisto adlı nedime Zeus'a kanıp baştan çıkınca, Artemis tarafından cezalandırılır.

Tanrıların karşı cins gibi giydirilmesi, birçok mitte hoşa giden unsurdur. İskandinav mitolojisinde Thor, Devler'in sarayına sızıp çekicini geri almak için bir gelin gibi giyinir. Herakles kahraman İphitos'u kazayla öldürdükten sonra, bir kadın kıyafetinde Kraliçe Omphale'ye hizmet vermeye mecbur edilir. Mitolojide eşcinsellik de görülür. En meşhur hikâyelerden biri Zeus'un güzel oğlan Ganymedes'i baştan çıkarışıdır; talihsiz Orpheus eşcinselliği "icat ettiği" için kadınlar tarafından öldürülür.

Cinsellikle ilgili belki en ünlü mit Oidipus'un hikâyesidir. Delphoi Kâhini ona babasını öldürüp annesiyle evleneceği uyarısında bulununca çılgına döner. Sonunda kehanetin doğru çıkması üzerine kendi gözlerini oyar; annesi de kendini asar.

AŞAĞIDA *Orpheus'un kendi kocalarını eşcinselliğe alıştırmasına kızan Trakyalı kadınlarca öldürüldüğü söylenir.*
SAĞDA YUKARIDA *Kartal biçimine bürünen Zeus'un güzel oğlan Ganymedes'i tanrılara sakilik etmek üzere kaçırışı.*
SAĞDA AŞAĞIDA *Artemis kılığına girmiş Zeus'un güzel Kallisto'yu baştan çıkarışı.*

SOLDA İnsanlar büyük
kahramanların ve
mitoloji tanrılarının
kadın gibi giyindiğini
duymaktan hoşlanırdı.
Burada sıra Thor'da.
SAĞDA Herakles,
Omphale için yün
eğiriyor. Kraliçe ise
üstüne onun aslan
postunu atmış, elinde de
sopasını tutuyor.

BAR · SPRANGERS · ANT · FECIT ·

Uyku ve Rüyalar

Yunan mitolojisinde Morpheus, rüyalara şekil veren tanrıdır. Annesi Nyks (Gece) ya da Hypnos (Uyku), babası ise uyuyanların rüya görmesini sağlayan Oneiroi adlı üç cinden biridir. Krallar ve hükümdarların rüyalarından Morpheus sorumludur. Endymion miti ise ay tanrıçası Selene'nin her gece doyasıya seyretmek istediği yakışıklı bir çobanı sonsuz uykuya yatırışını anlatır.

Eski Ahit'in belki de en meşhur rüya erbabı Yusuf'tur. Kardeşlerince köle olarak satıldıktan sonra, Mısır'daki firavunun danışmanlarından biri olur; gördüğü rüyalar üzerine yakında kıtlık geleceği uyarısında bulunarak Mısırlıların erzak depolamasını sağlar.

Hindu tanrısı Vişnu yaratılış evreleri arasında uykuya dalar. Genellikle çok başlı yılan Seşa'nın sırtında dururken ve ayaklarına karısı tarafından masaj yapılırken tasvir edilir.

AŞAĞIDA *Yusuf geleceği haber veren iki rüyasını ailesine anlattığında hiç umursanmaz.*
SAĞDA *Ay tanrıçası Selene büyülenerek uyuyan Endymion'u seyrediyor.*

SOLDA Vişnu, yılan
Seşa'nın sırtına uzanmış.
Göbeğinden çıkan nilüfer
çiçeğinin üstünde ise
Brahma oturuyor.
SAĞDA Eski Ahit'te
Yakup rüyasında göğe
uzanan bir merdivenden
meleklerin inişini görür.

Göz

Kadim Mısırlılar gözü koruyucu bir simge olarak kullanır ve ondan "Horus Gözü", "Ra Gözü" ya da *wedjat* diye söz ederdi. Bazı mitler Seth'in yabandomuzu kılığına girerek, Horus'un sol gözünü, yani ayı çıkardığını ileri sürer. Böylece geceler tam karanlığa bürünür ama Thoth arayıp bulduğu gözü tekrar göğe yerleştirir.

Odin bilgelik çeşmesinde su içmek için bir gözünü feda eder; tek gözlü Kyklops Polyphemos ise Odysseus tarafından kör edilir. *Kitabı Mukaddes*'te Yakup asıl vâris olarak kutsanmak için, üstüne kardeşi Esav'ın kıllı tenini andıran bir oğlak postu geçirip kör babasını kandırır. İsa'nın birçok mucizesinden biri bazı körleri iyileştirmektir.

Gözler bir güç kaynağı da olabilir. Uğursuzluk getiren "kem göz" kavramına dünyanın her yanında rastlanır ve bu kötü niyet nazarlıklarla savuşturulur. Tanrı Şiva çoğu kez alnında fazladan bir dikey gözle tasvir edilir. Esasen içe bakan bu gözünü hırs duygusunu yakıp kül etmek için de kullanır.

YUKARIDA *Mesih'in mucizelerinden biri körleri iyileştirmesiydi.* AŞAĞIDA *Bu 18. yüzyıl Racastan yazmasında, Hinduizmde manevi gücün geleneksel merkezlerinden "üçüncü göz" görülüyor.* SAĞDA *Wedjat gözünün altında diz çöken bir Mısırlı zanaatkâr.*

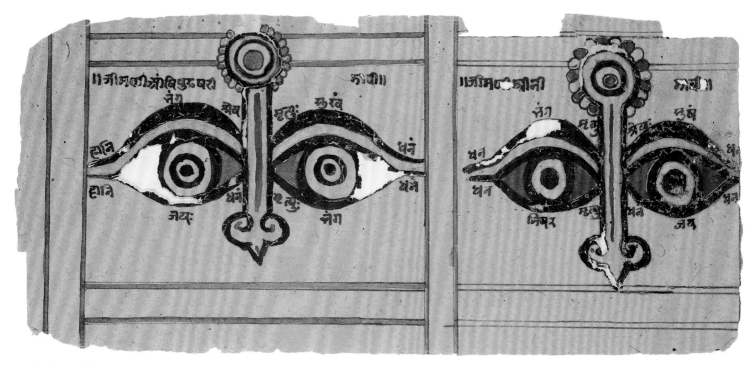

Kalp

İnsan anatomisinde kalbin rolü uzun süre yanlış anlaşılmıştır. Bununla birlikte Mısırlılar kalbi belki de en önemli organ olarak gördüklerinden, mumyalama sırasında ceset içinde bırakırlardı. Ölüler diyarına giden kişinin ödüle değer iyi bir hayat sürüp sürmediğini belirlemek üzere, *Ma'at* tüyünün bulunduğu terazide kalbinin tartıldığına inanılırdı.

Hıristiyanlığın bazı kollarında İsa'nın Kutsal Kalbi gözde bir simgedir. Mistik görülerde ortaya çıkar; saflığı, fedakârlığı ve Mesih'in insan sevgisini simgeler. Benzer şekilde, annesi Meryem'in de Temiz Kalpli olduğu söylenir.

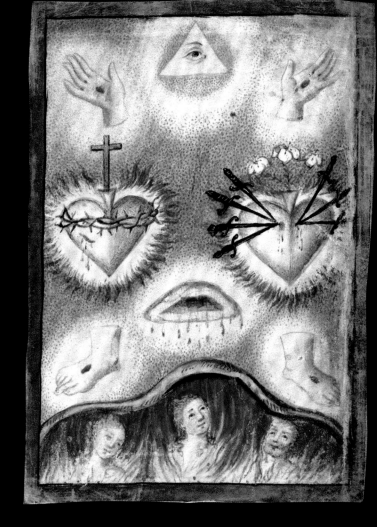

SOLDA Ölüler Kitabı'nda yazıcı Ani'nin kalbinin çakal başlı tanrı Anubis
tarafından tartılışı.
YUKARIDA İki Çin tıp simgesinin yukarısına konulmuş bir kalp çizimi.
YUKARIDA SAĞDA Araf'taki ruhlar Mesih'in çarmıha gerilirken aldığı beş
yaraya bakıyor. Yaralar iki Kutsal Kalp imgesinin etrafına dizilmiş.

Fedakârlık

Fedakârlık, toplumun yararını ya da bilgiye erişimi
hayatlarından üstün tutan tanrılar ve kahramanlar
arasında yaygın bir temadır. Zeus'un gazabına
uğrayacağını bilmesine karşın, insanlığa ateşi armağan
eden Prometheus iyi bir örnektir. Ona verilen ceza ise
karaciğerinin her gün bir kartal tarafından gagalanması
ve ertesi gün yeni baştan büyümesidir.

Aztek mitolojisinde hayatı mümkün kılan,
Nanahuatzin'in fedakârlığıdır. Dördüncü Güneş'in
sönmesinden sonra, Beşinci Güneş'e dönüşmek üzere
bir odun yığınında kendisini yakar; Tonatiuh denen
bu güneş daha sonra sürekli insan kurban ister. Başka
bir ilah, Xipe Totec insanları beslemek uğruna derisini
yüzer. Bu sebeple ona adak olarak yüzülmüş insan
derileri sunulur ve tasvirlerinde de çoğu kez yüzülmüş
deri içinde gösterilir.

İsa Mesih'in başına geldiği gibi, günah keçileri bütün
bir halkça işlenen günahın cezasını çeker. Romalıların
onu çarmıha gerişi, Âdem ile Havva'nın ilk günahının
bir kan bedeli sayılır. Doğumu nasıl mütevazıysa,

ölümü de küçük düşürücüdür. Mesih'in ölümünün
etrafındaki olaylar döngüsü Hıristiyanlık için temel önem
kazanmıştır ve ona çektirilen azabın araçları Hıristiyan
ikonografisinin dayanaklarıdır.

İskandinav tanrısı Odin de kendini feda eder.
Manzum Edda'ya göre, kendisini çoğu kaynakta Yggdrasil
(*bkz. s. 118*) olarak kabul edilen bir "rüzgârlı ağaca" asar;
amacı ise köklerinde yer alan Mimir'in başından runik
yazının gerçeğini öğrenmektir. Havamal metninde
Odin'in mızraklarla da deşildiği ibaresi, çarmıhtaki
Mesih'in bedeninin neşterle yarılmasını çağrıştırır.
Danimarka'nın Jelling kasabasındaki bir 10. yüzyıl runik
yazıtında Mesih'in bir ağaçta çarmıha gerilmiş görüntüsü
belki de iki geleneği birleştirir.

YUKARIDA SOLDA *"Derisi yüzülmüş tanrı" Xipe Totec'in yeşim
maskı.* YUKARIDA *Danimarka'nın Jelling kasabasındaki bir runik
yazıt, Mesih'in ve Odin'in fedakârlığını birleştiriyor gibidir.*
SAĞDA *Prometheus bir kayaya bağlanır ve karaciğeri her gün bir
kartal tarafından gagalanır.*

YUKARIDA Isenheim Altar Panosu'nda işlenen Mesih'in çarmıhtaki fedakârlığı, Hıristiyanlık için temel önem taşır.
SAĞDA Bu adaklık eser, Mesih'in azabına ve ölümüne vesile olan araçları anıtlaştırır.

Ölüm

|||||||||||||||||||||||||||||||||||||

Her zaman günlük yaşamın ötesini düşünen
mitolojiler, ölümün son olduğunu kabullenmeye
büyük ölçüde yanaşmaz. Mısırlılar toplumun daha
önemli mensuplarını Anubis'in talimatına uygun
şekilde mumyalardı. Ölenler öbür dünyada ihtiyaç
duyulabilecek şeylerle ve hizmetçi maketleriyle
birlikte gömülürdü. *Ölüler Kitabı*'ndaki tılsımların
ölenlere yeraltından geçip öbür dünyaya varmada
yardım ettiğine ve kalplerin tartılmasından
(*bkz.* s. 150) sonra, erdemlilerin Aaru denen bir
istirahat yerine geçeceğine inanılırdı. İnka gömü
işlemlerinde de öbür dünyaya yönelik eşyalara yer
verilirdi.

SOLDA *Bu Mısır papirüsünde, ölen kişi Duat'taki suları
içerken görülüyor.*
YUKARIDA Valkyrja'lar *kahraman ölülerin ruhlarını
Valhalla'ya taşımak üzere topluyor.*
SAĞDA *Örtüler içindeki suskun ölüler Kharon tarafından Styks
Nehri'nin öbür yakasına taşınıyor.*

Çin ve Japonya'da olduğu gibi, çoğu kez ata ruhlarının güçlü olduğu ve onları yatıştırmanın hayati önem taşıdığı düşünülür. Yunan ölüm tanrısı, Hypnos'un (Uyku) kardeşi Thanatos'tur. Hermes'in yeraltına inişte yol gösterdiği ölüler Kharon'un kayığıyla Styks Nehri'ni aşar; ölülerin her zaman bir sikkeyle gömülmesi bu yolculuk içindir. Üç başlı tazı Kerberos'u geçtikten sonra bir kavşağa varan ölüler ya cennete benzer Elysion Çayırları'na, ya cehenneme benzer Tartaros'a (bkz. s. 73) ya da günahlardan arınma yeri Araf'a benzer Asphodel Çayırları'na gider.

İskandinav mitolojisinde en cesur savaşçılar, öldüklerinde *Valkyrja*'lar (*bkz. s. 132*) tarafından toplanır ve Odin'in Asgard'daki salonu Valhalla'ya götürülürler; orada yiyip içerken, ileride dev kurt Fenrir'le dövüşecekleri Ragnarök'ü beklerler.

AŞAĞIDA *Hypnos ve Thanatos savaş alanında öldürülen bir kahramanın cesedini kaldırıyor.*
SAĞDA *Hep korkusuz Herakles, Ölüm figürüyle karşı karşıya.*

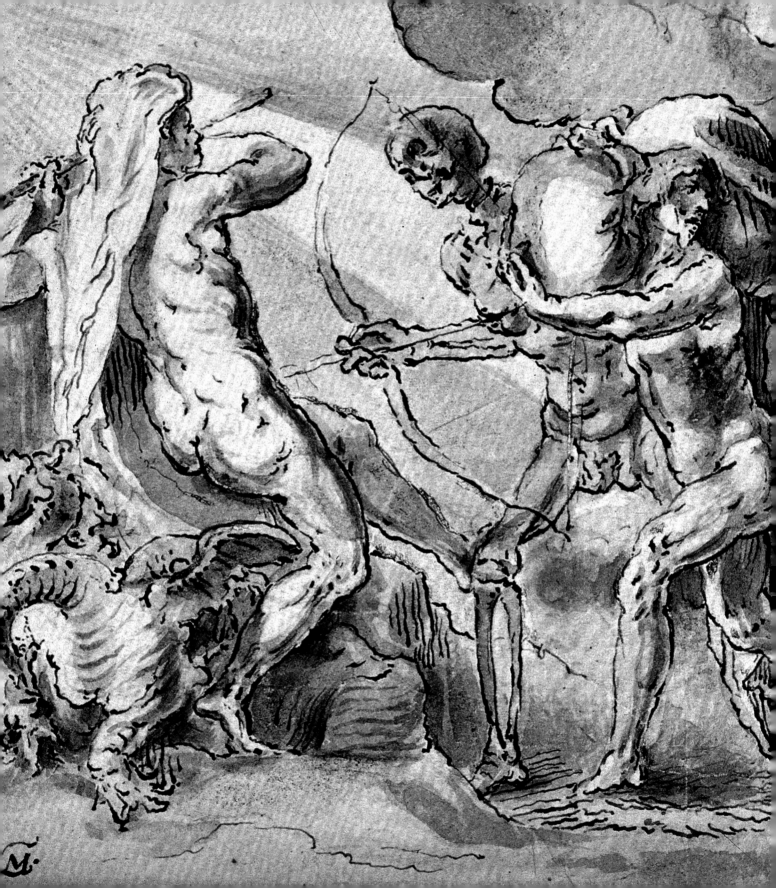

YUKARIDA *Hindu ve Budist yeraltı tanrısı Yama'nın huzurunda bir ölü ruhun yargılanışı.*
SAĞDA *Buda'nın ölümü.*

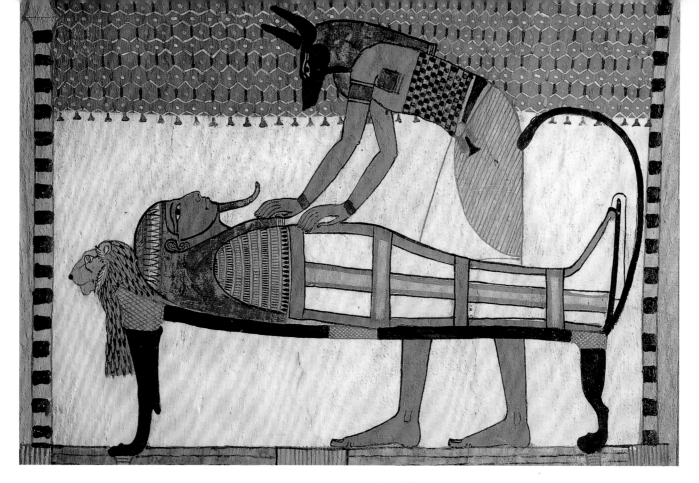

Sonsuz Yaşam ve Diriliş

Ölümsüzlük tanrıların ayrıcalığıdır ama onların bile bazen bunun için uğraş vermesi gerekir. Hindu tanrıları ölümsüzlüğü yitirme korkusuna düşünce, sonsuz yaşam nektarını (*amrita*) daha fazla üretmeye karar verirler. Bu amaçla Süt Okyanusu'nu çalkalamak üzere, bir yılanı bir kaplumbağa (Vişnu'nun bir *avatar*'ı) üstüne oturtulmuş olan Meru Dağı'nın çevresine sararlar. Yılanın bir ucunu cinler, diğer ucunu tanrılar çeker. Amrita ortaya çıkınca, cinler ve tanrılar onun için kavgaya tutuşur; tanrılar kavgadan üstün çıkar.

İskandinav ve Germen mit döngülerinde, tanrıların gençliği tanrıça Idunn'un baktığı altın elmalardan gelir. Yunan tanrıları, yaşlanmadan ölümsüz kalmayı sağlayan ambrosia yer. Kahraman İason'un eşi Medea, Kral Pelias'ın kızlarını kendisini öldürüp suda haşlamakla tekrar gençliğe kavuşturabileceklerine inandırır. Pelias dirilmeyince, İason ve Medea sürgün edilir.

En çok bilinen diriliş hikâyesi *Yeni Ahit*'te Mesih'le ilgili olandır. Doğruluğu kuşkulu anlatımlara göre, Mesih çarmıha gerilişini izleyen üç günde cehenneme inerek, oradaki ölülerin ruhlarını kurtarır.

İskandinav Balder hikâyesi de dirilişi ve ölümsüzlüğü bir araya getirir. Çok önemsiz sayılan ökseotu dışında, bütün canlı şeyler ona zarar vermeme vaadinde bulunur. Tanrıların eğlence olsun diye oklar attığı Balder, hiç yaralanmayacağının sanılmasına karşın, ökseotundan yapılmış bir okla can verir. Hel bütün varlıkların kendisi için ağlaması halinde, canlılar diyarına döneceği sözünü verir. Herkes ağlarken, bir dişi dev bundan kaçınıp şöyle der: "Hel kendi işine baksın!" Dişi dev kılığına girdiği anlaşılan oyunbaz Loki daha sonra cezalandırılır. Ragnarök'teki yıkım sonrasında, Balder'in yeniden doğacağı umulur artık.

SOLDA Anubis öbür dünya için bir ölü işçinin mumyasını hazırlıyor.
YUKARIDA Süt Okyanusu'nun çalkalanışıyla sonsuz yaşam nektarı ortaya çıkar.

YUKARIDA Mesih dirildikten sonra, havarilerinin bakışları altında göğe yükseliyor.
SAĞDA Mesih'in en çarpıcı mucizelerinden biri, ölen Lazarus'u diriltmesi olarak kabul edilir.

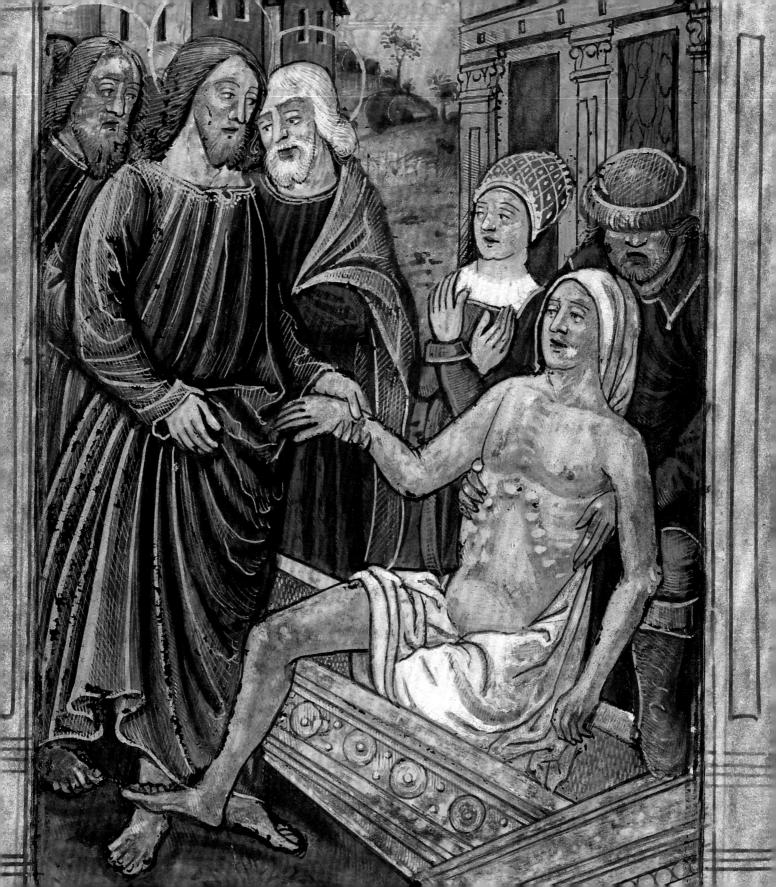

4

TANRILARIN
ᛁᛁᛁᛁᛁᛁᛁᛁᛁᛁᛁᛁᛁᛁᛁᛁᛁᛁᛁᛁᛁᛁᛁᛁᛁᛁᛁᛁᛁᛁᛁᛁ
ARMAĞANLARI
ᛁᛁᛁᛁᛁᛁᛁᛁᛁᛁᛁᛁᛁᛁᛁᛁᛁᛁᛁᛁᛁᛁᛁᛁᛁᛁᛁᛁᛁᛁᛁᛁᛁᛁᛁ

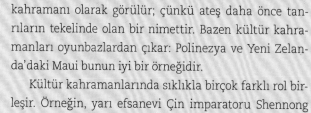

Her mitoloji insanlarla ve belirli kültürlerin ortak kökleriyle doğrudan ya da dolaylı ilgilenir. Birçok mit sadece kim olduğumuzu değil, toplumun ve uygarlığın kökenini de açıklamaya çalışır. Bu bölümde mitolojinin insanlığı, toplumu ve dini nasıl şekillendirdiğini ele alacağız.

Dünya mitolojilerinde en yaygın karakterlerden biri "kültür kahramanı", yani insanlara armağanlar veren ya da beceriler öğreten kişi, tanrı ya da yaratıktır. Sözgelimi, antik Yunan figürü Prometheus insanoğluna ateşi verdiği için bir kültür kahramanı olarak görülür; çünkü ateş daha önce tanrıların tekelinde olan bir nimettir. Bazen kültür kahramanları oyunbazlardan çıkar: Polinezya ve Yeni Zelanda'daki Maui bunun iyi bir örneğidir.

Kültür kahramanlarında sıklıkla birçok farklı rol birleşir. Örneğin, yarı efsanevi Çin imparatoru Shennong sadece bir hanedan kurucusu değildir; insanlara tarımı da öğretmiştir. Nitekim adı "tanrısal çiftçi" anlamına gelen Shennong'un şifa açısından yararlarını saptamak üzere yüzlerce farklı otu tattığı söylenir. Ona atfedilen *Tanrısal Çiftçinin Ot Kökü Klasiği* adlı kitap genellikle Çin tıbbının ilk eseri sayılır. Ayrıca çayı bulduğu söylenir. Birçok kültür kahramanı gibi, o da gerçeklik ve hayal gücü arasındaki çizgide durur.

Shennong efsanesi insanların toprağı denetim altına alıp sabit topluluklar halinde yerleşmesiyle birlikte, uygarlık açısından tarımın temel önemini açığa vurur. Birçok mitoloji toprak ekmeyi belirli bir tanrısal varlığa bağlar. Yunan mitolojisinde bu rolü üstlenen Demeter, Roma dünyasında Ceres adıyla karşımıza çıkar. İnsanlara buğdayı getirme payesi verilen Triptolemos gibi figürler de vardır. Maya tanrısı Viracocha başka bir üretken kültür kahramanıdır. Bir dilenci kılığına girip insanlar arasında dolaşarak, geometri, mimarlık, tarım ve astronomi öğretir. Mısır tanrısı Thoth'a ise yazıyı, astronomiyi ve astrolojiyi icat etme payesi verilir; Yunanistan'a yazıyı getirenin Kadmos olduğuna inanılır.

Tanrıların bize verdiği diğer bir şey de sanatlardır. Yunanlar ve Romalılar şiir becerisini, sayıları üç ila dokuz arasında değişen Musa'lara bağlarken; *Nesir Edda*'da şiirin iki tanrısal kabile Aesir ve Vanir arasındaki bir savaştan çıktığı belirtilir. Ateşkese varmak için her iki taraf bir kazana tükürür; bu sıvıdan Kvasir adlı bir adam çıkar ve onun kanından şiir likörü akar.

ÖNCEKİ SAYFA
Çoban-prens Paris en güzel tanrıçayı seçmek zorundadır. Bu acaba Aphrodite mi, Athena mı, yoksa Hera mı olacak?
SOLDA *Çin tıp ve tarım ilahı Shennong, yapraklardan oluşan giysileriyle elinde şifalı özellikler taşıyan bir bitki tutuyor.*
SAĞDA *Kabil ile Habil: Kardeş çekişmesinin bu klasik hikâyesi, ikincisinin ölümüyle son bulur.*

İnsan toplumunda içkinin rolü mitolojinin sınırlarını aşan özel bir anlam taşır. Yunan üzüm hasadı tanrısı Dionysos şarap tüketimini yüceltirken, yol arkadaşı Silenos sürekli sarhoş dolaşır. Ortaçağ Avrupa'sında Âdem'in oğlu Kabil'in içkiyi bulduğuna inanılırdı.

Kabil'in belki de en çok bilinen yanı, kardeşini öldürerek en büyük günahı işlemesidir. Mitolojinin (ve dinin) önemli işlevlerinden biri, bir toplumun yasalarını özellikle ilahi kökenliyseler, açıklamak ve ayakta tutmaktır. Tanrı, On Emir'i doğrudan Musa'ya iletir; aynı şekilde kadim Mezopotamya'nın yasaları tanrılar tarafından hükümdarlara doğrudan aktarılmış gibi gösterilir. Yasaların çiğnenmesi (hem bu dünyada hem de öbür dünyada) cezayı getirir; mitoloji bunun birçok yararlı örneğini sunar.

Karmaşık toplumlar güçlü yönetimin ve açık adalet sistemlerinin yanı sıra usta zanaatkârlara dayanır; bize prototipler sunan yine mitolojidir. Olympos tanrılarından Hephaistos bir demircidir; Hermes'in kanatlı sandaletlerini, Akhilleus'un zırhını, Eros'un yay ve oklarını, bütün tanrı tahtlarını ve hatta topraktan Pandora'yı yaptığı söylenir. İşin tuhaf tarafı, dünyadaki demircilere musallat olan (ve arsenikle çalışmaktan kaynaklanan) topallıktan o da mustariptir.

Bu bölümde mitlerin aşk ve güzellik gibi belli soyut niteliklerine, ayrıca tanrıların gözünde kibir ya da aşırı gurur günahının nasıl tasvir edildiğine de bakacağız. Baş melek Şeytan haddini aşmasından dolayı cehenneme atılarak cezalandırılır; Tanrı, insanoğlunun Babil Kulesi'nde somutlaşan hırslarını yok eder; Yunan prensesi Niobe daha fazla çocuğunun olmasından dolayı Leto'dan üstün olduğunu ilan edince, oğulları ve kızları Leto'nun tanrısal çocukları Apollon ve Artemis tarafından öldürülür.

Tanrılar yukarıdan verilen nimetlerin karşılığında daima bir şey bekler. Yine bu bölümde insanların en yaygın olarak tapınma ve kurban verme biçiminde tanrılarla etkileşime girme çabalarını da irdeleyeceğiz. Eski Ahit'te anlatılan Tanrı, İbrahim'e oğlu İshak'ı kurban ettirmeye yatkındır; Azteklerin de tanrıları için zorunlu insan kurbanlar bulmak amacıyla savaşa girdiklerini görürüz.

SOLDA *İçemediği suya boynuna kadar gömülmüş durumdaki Tantalos boşuna bir çabayla yukarıdaki elmalara uzanıyor. Ona bu ceza oğlunu öldürüp tanrılara sunduğu için verilmiştir.* YUKARIDA *Mısır ilahi öç tanrıçası Sekhmet. Aynı şekilde aslan başlı olan Bastet bereket tanrıçasıdır.* YUKARIDA SAĞDA *Thoth ve Horus hayat suyunu XII. Ptolemaios'un başından aşağı döküyor.*

Tarım

Yunan tanrıçası Demeter'in tarım nimetlerini dünyanın her yanında yaymak üzere, Triptolemos'a buğday tohumları ve ejderhalar tarafından çekilen bir araba verdiğine inanılır. Afrika Dogon geleneğinde, Nummo olarak bilinen ikizlerin insanoğluna çiftçiliği öğrettiği belirtilir.

Başka yerlerde tarım tanrıları yerel düzeyde yetiştirilen ürün çeşidini yansıtır. Amerika'da çok sayıda mısır tanrısıyla karşılaşırız. Maya mısır tanrısı çoğu kez Kahraman İkizler'le birlikte görünür ve bazen onların babası Hun Hunahpu'yla özdeşleştirilir. İkizler'in kendi babalarının naaşını yeraltından çıkarışına dair hikâye, tarıma kavuşmayla bir bağa işaret eder; bazıları onu yıllık ürün döngüsünü yansıtan bir ölüm ve diriliş tanrısı olarak da görür. Mısır daha sonraları Quetzalcoatl'a bir sunu olarak kullanılmıştır. Şinto geleneğinde pirinç tanrısı İnari'ye her zaman ulak tilkiler eşlik eder. Filipinler'de Ifugao halkı ürünü korumak üzere pirinç tanrısı Bulul'un heykellerini bırakır.

Bir hikâyeye göre, Buda bir toprak sürme törenini izlerken, boğanın ve çiftçinin sıkı çalışmasından çok etkilenir. O üzgün haliyle Hayatın Üzüntüleri üzerine ilk meditasyonunu yapar.

SOLDA Triptolemos, tahılı dünyanın her yanına yaymak için kullandığı kanatlı savaş arabasında oturuyor. AŞAĞIDA Tohumları ve hasadı koruyan Filipin Bulul figürü. SAĞDA İki Navaho "kutlu kişi"si insanoğluna kutsal mısırı sunuyor.

Krallık

Birçok dünyevi kral ilahi kökenden geldiğini bizzat ileri sürmüştür. Özellikle Çin mitolojisi, tarih ve efsane arasındaki sınırı bulandırarak, krallığın geçmişini Üç Hükümdar'a indirir: İÖ 3. binyılda hüküm sürdüğü söylenen yarı ilahi Fuxi, Shennong ve Huang Di. Huang Di'nin ("Sarı İmparator") Çinlilere tarımı, hayvan evcilleştirmeyi ve barınak yapmayı öğrettiği ileri sürülür.

Kore geleneğinde, göğün hâkimi Hwanung'un oğlu Dangun insanoğluna kültür götürmek üzere yeryüzüne iner. Gelenekte ilk Japon imparatoru olduğu belirtilen Cimmu, soyunu İzanagi'ye (bkz. s. 129) ve Amaterasu'ya (bkz. s. 42) dayandırır.

Mısır'da Osiris hem bir tanrı hem de ilk firavunken, Mezopotamya'da her kentin kendi kuruluş mit ve ilk hükümdarı vardır. Efsanevi kahraman Gılgamış İÖ 2100 dolaylarına ait Sümer Kral Listesi'nde yer alır. İlk İnka kralı Manco Capac'ın güneş tanrısı Inti aracılığıyla onun babası yaratıcı tanrı Viracocha'nın soyundan geldiğine inanılırdı.

SOLDA Kahraman Gılgamış kişiliğinin gerçek hayattaki bir kral örnek alınarak oluşturulduğu neredeyse kesindir. YUKARIDA Fuxi ilk Çin imparatoru, ayrıca yazının, evliliğin, balıkçılığın ve hayvancılığın mucidi olarak kabul edilirdi. SAĞDA Kore'nin tanrı soyundan geldiği söylenen ilk efsanevi kralı Dangun.

Yasalar ve Adalet

Bütün mitolojilerin yaşayanlar için hukukun ve yasaların kökeni üzerine söyleyecek bir şeyi vardır. Örneğin, *Eski Ahit*'in birkaç kitabı (özellikle *Yasa Kitabı* ve *Mısır'dan Çıkış*) kapsamlı kural listelerine yer verir. *Kitabı Mukaddes* Musa'nın On Emir'i, yani Yahudiler ve Hıristiyanlar için ahlaki ve dinsel davranışın esaslarını ortaya koyan en temel ilkeleri Sina Dağı'nın zirvesinde dosdoğru Tanrı'dan nasıl aldığını anlatır. İsrailoğullarının yanına dönen Musa, bir altın buzağıya taptıklarını (*bkz*. s. 254) görünce, yasaların yazılı olduğu tabletleri kızgınlıkla parçalar; sonradan yeni bir takım edinmek için dağa döner.

Hinduizmde *Manusmriti* ("Manu Yasaları") ilk insan Manu'nun verdiği söylenen bir söylevdir. Kozmosun ve her bireye düşen dinsel ve sosyal yükümlerin ebedi yasası anlamındaki *dharma* kavramını açıklar. Mezopotamya mitolojisinde kozmik yasaların İştar tarafından korunduğu söylenir. Ninlil'e tecavüz eden tanrı Enlil elli büyük tanrıdan ve yedi karar alıcıdan oluşan bir mahkeme tarafından yargılanır ve yeraltına gönderilmekle cezalandırılır.

SOLDA Yeraltındaki ruhlara adalet dağıtan Budist Ksitigarbha figürü. AŞAĞIDA Musa On Emir'in yazılı olduğu ilahi tabletleri İsrailoğullarına gösteriyor.

Savaş

Yunanistan, Mısır ve Mezopotamya gibi eski uygarlıklar için, savaş günlük yaşamın bir parçasıydı. Savaşlar mitolojik destanlarda da yoğun olarak işlenir. Uzayıp giden Troya Savaşı zamanla Aineias ve Odysseus'un maceralarını başlatırken, *Mahabharata* iki hanedan topluluğu arasında müthiş Kurukşetra Savaşı'yla son bulur.

Zafer, savaş tanrılarının desteğini kazanmaya bağlıdır. Zırhlı Mezopotamya savaş tanrıçası İştar'ın savaşı bir oyun olarak gördüğü söylenir. Yunanların başlıca iki savaş tanrısı vardır: Ares (acımasız ve sert) ve Athena (strateji ve taktik ustası). Bazı ilahlar daha çok belli alanlarda uzmandır. Hachiman savaşın nasıl yürütüleceğini öğreten Şinto-Budizm tanrısıdır; İskandinav tanrısı Tyr ise teke tek çarpışmada koruma

sağlar. Savaşçılara şevk veren tanrılar da vardır. Sözgelimi, Devi'nin bir *avatar*'ı olan Hindu tanrıçası Durga, savaş alanında sabır ve cesaret verir. İrlanda savaş alanı tanrıçası Morrígan bir karga biçimine bürünür.

En ürkütücü savaş ilahı muhtemelen aslan başlı Sekhmet'tir (*bkz. s. 171*). Kana susamış ve vahşi bir tanrıçadır; Mısırlılar onu yatıştırmak için her yıl onuruna bir şenlik düzenler. Aztek mitolojisinde savaş, basbayağı bir dinsel yükümlülüktür. Savaşçı tanrı Tezcatlipoca savaşları kışkırtmayı iş edinerek, ileride tanrılara kurban edilecek tutsakların düzenli bir akışla gelmesini sağlar.

YUKARIDA *Durga öbür Hindu tanrıları tarafından silahlarla donatılıyor.* SAĞDA *Mars'ı çift ağızlı kılıç, üççatal, hançer ve topuz taşırken gösteren bir İran tasviri.*

حمل و عقرب نسبت على تعلق بمریخ دارد و صورت حمل
نوروز گردونیست الافتیش است در اول روزنیست که تجلی می آید
صورت سیح حمل آید

و خاکی و نخی و کیلی نیست کریت و کمال خندق و در برجست که هفتم او نیست و نب
از حمل ماد است و نقشهانه

SOLDA Aşk (Venüs)
burada Savaş'ı
(Mars) alt ediyor.
Cupido da Mars'ın
sandaletlerini
çözüyor.
SAĞDA Durga'nın
Manda Cin'i
öldürüşü.

Ateş

Ateşin bulunup denetim altına alınması insanlık açısından büyük bir atılımdı; bizi hayvanlardan ayırdı, sıcaklık sağladı ve yemek pişirmeyi mümkün kıldı. İnsanların bu üstünlüğü nasıl kazandığı üzerine kaçınılmaz olarak birçok hikâye vardır.

Yunan mitolojisinde Titan Prometheus ateşi bir kamışın içine saklayarak tanrılardan çalar ve bu süreçte Zeus'un gazabına uğrar. Dünyanın başka yerlerinde de onun hikâyesiyle paralellikler görülür. Örneğin, Polinezya'da insanlar için ateşi kültür kahramanı Maui çalarken (*bkz.* s. 70), Brezilya'da genç kahraman Botoque ateşi jaguarlardan alır.

Birçok ateş tanrısı vardır. Xiuhtecuhtli Aztek "ateş ilahı" ve göktaşı tanrısıdır. Japonya'da Şinto ateş tanrısı ilk insan çifti İzanagi ve İzanami'nin oğlu Kagutsuçi'dir. Ne yazık ki, doğumu annesinin yanarak ölmesine yol açar. Baba öfkelenerek oğlunun başını uçurur ve kesik baştan yeni bir tanrılar kuşağı çıkar.

Hindu ateş tanrısı Agni'nin çoğu kez iki ya da üç başlı tasvir edilmesi, armağanının yarar kadar zarar getirdiğine işaret eder. Bazı efsaneler onun büyük yaratıcı tanrı Brahma'nın ilk oğlu olduğunu söyler. Ateş ayrıca ejderha, alevlerden doğuyormuş gibi görünen semender ve kendiliğinden tutuşup yandıktan sonra küllerinden tekrar doğan anka gibi mitolojik yaratıklarla da ilişkilendirilir.

SOL BAŞTA
Aztek "ateş ilahı"
Xiuhtecuhtli.
SOLDA Hindu ateş
tanrısı Agni'nin bir
heykeli.
YUKARIDA Alev başlı
Agni, keçisi üstünde.

Bardel   Lith. de C Motte.

YUKARIDA Dört rahibin "yıl demetleri"ni yaktığı Aztek ateş töreni.
SAĞDA Ateş olmadan hayat olmaz: Prometheus değerli armağanıyla insanın yanına iniyor.

Aşk ve Güzellik

Yunan aşk tanrısı Eros ilk doğanlardan biri olarak, bütün diğer tanrıların üremesini sağlar. Ancak en güzel Yunan tanrıçası Aphrodite'dir (Roma mitolojisindeki karşılığı Venüs); Paris'in Kararı denen olayla doğrulanmış bir şöhrettir bu. Mite göre, bir düğüne çağrılmamasına kızan fitne tanrıçası Eris, üstünde "en güzele" yazılı bir altın elmayı düğündekilerin arasına atar. Üç tanrıça (Athena, Hera ve Aphrodite) elmayı kimin alması gerektiği konusunda tartışınca, Zeus karar vermesi için Troya'dan ölümlü Paris'i çağırır. Paris'in Aphrodite'yi seçmesi diğer ikisini kızdırır. Aphrodite rüşvet olarak, Paris'e dünyanın en güzel kadınının aşkını vaat etmiştir. Ne var ki, (Troyalı) Helena adlı bu kadın zaten evlidir ve Paris'in verdiği kararın sonucu Troya Savaşı (bkz. s. 320) olur.

Güzelliğin tehlikeleri klasik Narkissos hikâyesinde vurgulanır. Bu yakışıklı genç görünüşünden son derece gururlu olduğu ve her türlü romantik ilgiyi küçümsediği için, tanrılar bir gölcükte yansıyan kendi suretine âşık olmasını sağlar. Oradan bir türlü ayrılamaz ve eriyip gider.

Xochipilli Azteklerin hem aşk hem de güzellik tanrısıyken, kız kardeşi Xochiquetzal özellikle dişi güzelliğini temsil eder. İkisi, erkek ve kadın fahişelerin koruyucusudur.

SOLDA *Aztek çiçek tanrısı Xochipilli aynı zamanda aşk tanrısı sayılırdı.*
SAĞDA *Japon Budist tanrısı Aizen Myo-o tutkuyu temsil eder. Alev almış saçları dizginsiz şehvetin ifadesidir.*
YAN SAYFA *Eros avcı kadın Atalanta'nın peşinde. Elindeki kamçı belki de aşkın getirdiği sıkıntıları simgeliyor.*

Bir karşılıksız
aşk masalı: Ağaç
nympha'sı Ekho
kendini beğenmiş
Narkissos'u sevmeye
mahkûm edilir.

Binbir Gece
Masalları aşkla ilgili
bir dizi hikâyeyi içerir.
Burada Seyfülmüluk
adlı şehzade ve
Bediülcemal adlı cin,
farklı geçmişlerini aşıp
birlikte olmayı seçmiş.
Öteki cinler onları
havada taşıyor.

Kader ve Kısmet

Kader ve kısmet kavramları başımıza gelen bazı tesadüfi olayları açıklama girişimlerinin ürünüdür. İkisi de mitlerde önemli bir rol oynar ve bazen bir kahraman bir lanetle ya da kehanetle boğuşmak durumunda kalır. Oidipus hikâyesi iyi bir örnektir: Olağanüstü özen göstermesine rağmen, sonunda öngörüldüğü gibi babasını öldürüp annesiyle evlenir.

Antik Yunanlar her bireyin kaderini doğum anında başında dönen ve topluca Moira'lar (Moirai) olarak bilinen Klotho, Lakhesis ve Atropos adlı üç kadının belirlediğine inanırdı. İskandinav mitolojisindeki karşılıkları Norn'lar da yeni doğan her çocuğa nasıl bir hayat süreceğine karar vermek üzere uğrayan üç kadındır.

Meleagros hikâyesi hiç kimsenin Moira'lardan kaçamayacağını kanıtlar. Belirli bir tahta parçası yandığında hayatının son bulacağı öngörülmüştür. Annesi tahtayı bir sandıkta saklayarak kaderi atlatmaya çalışır; ama daha sonraları ateş yakmak için tahtayı kullanınca, oğlu derhal ölür.

Romalılara göre, tanrıça Fortuna şansın kişileşmiş haliydi. Japonya ve Çin'de de şans tanrılarına rastlanır. And kültürleri kehanete meraklıydı: Tıpkı Yunanların Delphoi'deki kâhine gitmesi gibi, İnkaların da Pachacamac'ta oturan ve herhalde başta gelen tanrı Viracocha'nın sözcüsü sayılan bir müneccimi vardı.

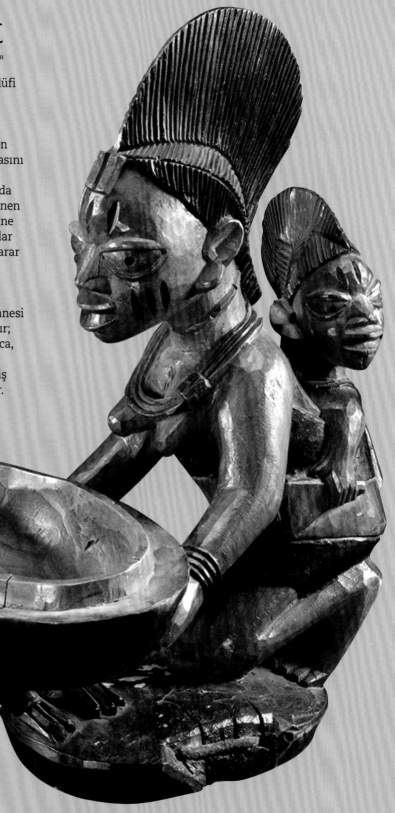

SAĞDA *Kehanet için kullanılan bir Yoruba çanağı.*
YAN SAYFA *Japon folklorunda kabul gören yedi talih tanrısı vardır.*

Müzik

Müziğin sakinleştirici özellikleri mitolojide gayet iyi bilinir; sözgelimi, Hermes azgın Kerberos'u müzikle uyutur. Ancak müzik çatışmaya da yol açabilir. Satir Marsyas tanrı Apollon'u bir müzik yarışmasına çağırır ve bu küstahlığı yüzünden canlı canlı derisi yüzülür. Kral Midas ise Apollon ve Pan arasındaki başka bir müzik yarışmasına hakemlik eder; kamıştan ilk kavalı yapan Pan'ın performansını beğenme gafletine düşünce, ödülü bir çift eşek kulağı olur.

Gök ve yer arasında dolaşan Çinli ölümsüz Fuxi, insanlara basit bir telli aleti çalmayı öğretir. Çin mitine göre, çalındığında sülünleri ve ankaları bile dans ettiren lavta, efsanevi imparator Di Ku tarafından icat edilmiştir.

Yunan mitinde bebek Hermes lirin mucidi olarak geçer, ama onu en güzel çalan Apollon'dur. *Eski Ahit* krallarından Davut'un yetenekli bir arpçı olduğu, ayrıca *Mezmurlar*'ı bestelediği söylenir. İskandinav ve Kelt mitolojisinde arplarla sıkça karşılaşılır; Germen destanı *Nibelungenlied*'de elleri bağlı halde bir yılan çukuruna atılan Kral Gunther'in bu aleti ayaklarıyla çalmaya devam ettiği anlatılır.

Mısır tanrıçası Hathor'a tapınılırken *sistrum* adlı bir çıngırak kullanılırdı; Hathor çoğu kez elinde bu aletle tasvir edilir. Aztek mitolojisinde müzik tanrısı Xochipilli'dir.

YUKARIDA *Krişna ve Radha yağmur altında üç müzisyen eşliğinde dans ediyor.*
SAĞDA *Efsanevi İrlandalı ozan Ossian, arpını çalarak Kelt mitolojisi cinlerini başına topluyor.*

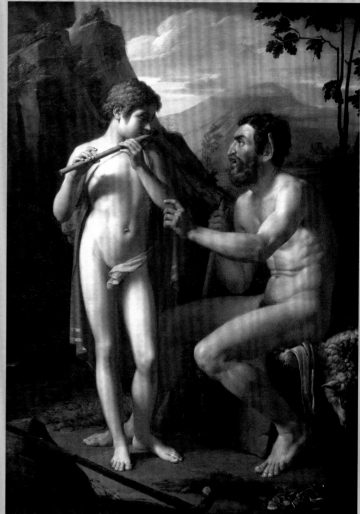

YUKARIDA SOLDA *Yetenekli bir arpçı olan Kral Davut'a geleneksel kaynaklarda Mezmurlar'ın bestecisi payesi verilir.*
YUKARIDA *Satir Marsyas genç müzisyen Olympos'a flüt çalmayı öğretiyor.*
SAĞDA *Orpheus hayvanları müziğiyle büyülüyor.*

197

Kurban

Kurban tanrılara, ruhlara ya da atalara adak olarak bitki, hayvan ve hatta insan sunmaya dayanır. (Atalara kurban vermek Çin ve Japonya'da yaygın bir gelenektir.)

Azteklere göre, insan kurban etmek güneşin varlığını sürdürmesi için şarttı. Germen halkları da asma (Odin'i taklit, bkz. s. 152) ve suda boğma (bkz. s. 112) yoluyla insan kurban ederdi. Kabil ile Habil arasındaki kavga, Tanrı'nın Kabil'den gelen tahıl sunusunu geri çevirirken, Habil'in hayvan kurbanını kabul etmesiyle başlar.

Prometheus'un biri mide içindeki et, diğeri deri ve yağla sarılmış hayvan kemiği olmak üzere iki çeşit kurban sunarak Zeus'u kandırdığı söylenir. Zeus'un kemikli olanı seçmesi sonraki kurbanlar için kural oluşturur: İnsanlar kurbanın etini yer, kemiklerini ise yakar. Hinduizmde ateş tanrısı Agni, kurbanları tanrılara taşır.

Tanrıların taleplerinde sınırlar vardır. Eski Ahit Tanrı'sı, İbrahim'i sınamak için oğlu İshak'ı kurban etmesini ister; ama tam bunu yapacakken İbrahim'e kesmesi için bir koç gönderir. Zeus bir çocuğu kurban eden Lykaon'u kurda dönüştürür.

AŞAĞIDA İbrahim oğlu İshak'ı kurban etmek üzereyken, bir melek onu durdurur.
SOLDA Romalıların İsis tapınmasındaki ayinlerin romantikleştirilmiş bir canlandırması.

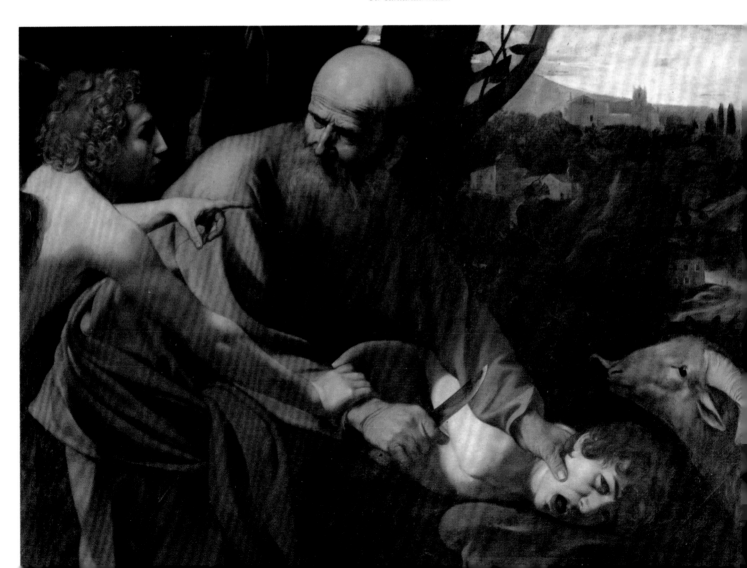

Budalalık

İnsanların tanrılara üstünlük sağlama girişimleri hep felaketle sonuçlanır. *Kitabı Mukaddes*'teki Babil Kulesi hikâyesi iyi bir örnektir; *Tekvin Kitabı*'na göre göğe ulaşmaya yönelik bu kuleyi inşa edenlerin kibrine öfkelenen Tanrı onların dilini karmakarışık hale getirir; işçilerin artık birbirleriyle konuşamaz hale gelmesi üzerine tasarıdan vazgeçilir.

Başka bir örnek Minotauros labirentini tasarlayan Daidalos'un hikâyesidir. Kral Minos'un Girit'ten ayrılmasına izin vermemesi üzerine, Daidalos kendisi ve oğlu İkaros için balmumundan ve tüylerden kanatlar yapar. İkaros babasının güneşe çok yaklaşmama uyarılarına aldırmaz ve kanatları eriyince yere düşüp can verir.

YUKARIDA Zeus'a bir çocuğu kurban eden Lykaon, kibrinden dolayı kurda dönüştürülür.
SAĞDA Girit'ten babasıyla birlikte kaçan İkaros, güneşin çok yakınından uçunca denize düşer.

SOLDA Yunan mitolojisindeki üç karakter ve aldıkları cezalar: Sisyphos bir kayayı taşıyor, İksion bir çarka bağlanmış halde duruyor ve Tantalos su içmeye çalışıyor.
AŞAĞIDA Loki dudaklarının sımsıkı dikilmesi cezasına çarptırılır.
SAĞDA Bir meleğin yeni bir ruhu cehenneme götürüşü.

Ceza

‖‖‖‖‖‖‖‖‖‖‖‖‖‖‖‖‖‖‖‖‖‖‖‖‖‖‖‖

Yunanlara göre, Tartaros yeraltının ceza için belirlenmiş bir kesimidir. Orada Sisyphos bir kayayı ha bire yokuş yukarı itmeye zorlanırken, Tantalos sürekli aç ve susuz halde tutulur. Hıristiyan cehennem anlayışının Tartaros'la birçok ortak özelliği vardır.

Muzip İskandinav tanrısı Loki'nin başı sıkça derde girer. Bir keresinde bir grup cüceye, Ivaldi'nin oğullarına, aralarında Odin'in mızrağının da bulunduğu bazı büyülü nesneler yaptırır. Bu demircilerin emsalsiz olduğunu ileri sürünce, cüce Brokk daha da çarpıcı nesneler üretebileceği yolunda onunla bahse girer ve Thor'un çekici Mjölnir'i yapar. Loki bahiste ortaya koyduğu başını istemeye gelen Brokk'a, bahiste geçmeyen boynuna dokunmama kaydıyla başını alabileceğini söyler. Brokk da bu düzenbaz tanrının dudaklarını bir deri sicimle diker.

5

HAYVANLAR
IIIIIIIIIIIIIIIIIIIIIIIIIIIIIIIIIIIIIIIIIIII
ÂLEMİ
IIIIIIIIIIIIIIIIIII

İnsanlar yarattıkları mitolojilerde önemli yer tutmakla birlikte, yeryüzündeki yegâne yaratıklar değildir. Nitekim birçok mit insanlığı hayvanlar âleminden ayırt etme uğraşına girer. *Kitabı Mukaddes*'e göre, Tanrı hayvanları insanlardan önce yaratmasına karşın, her şeyi düzen altında tutmak için daha yüce bir varlığın gerekli olduğuna karar verir.

Bütün gelenekler bu görüşe katılmaz. Amerika Yerlileri geçmişte olduğu gibi şimdi de köken olarak hayvanlardan geldiğimize ve bir hayvan ruhunun her bakımdan bizimkine denk olduğuna inanır. Şayen mitolojisi hayvanların insanlarla konuşabildiği bir dönemden söz eder. Bizonlar insanlarla eşit olduklarında diretince, bir yarış düzenlenir. İki takım oluşturulur: İlkinde bir bizon, bir geyik ve bir antilop, ikincisinde bir insan, bir köpek, bir şahin ve bir kartal yer alır. İkinci takımın yarışı kazanması üzerine, köpekler en iyi dostumuz haline gelir, kartallar ve şahinler de bizden saygı görür. Diğer hayvanların avlanması artık serbesttir.

Hayvana tapınma insanlık tarihinin ilk evrelerinde başlar. Hayvan ve insan biçimli tanrıların İÖ 30000 dolaylarında tanındığı kesindir; Almanya'nın Hohlenstein-Stadel mağarasında bulunan, o döneme ait küçük bir aslan-adam heykeli bunun ipucudur. Genellikle belirli bir bölgenin en güçlü yırtıcı hayvanlarına tapınılırdı. Mezoamerika'da jaguara tapınma, Mısır'da aslana tapınma, Finlandiya Laponları ve Kuzey Amerika Yerlileri arasında ayıya tapınma vardı. Japonya'daki Aynular bazen küçükten yetiştirdikleri ayıları kurban ederdi. Her yerde korkulan yılanlar mitolojide belki de en yaygın rastlanan hayvanlardır; akrepler de Batı Asya ve Mısır mitolojisinde sürekli karşımıza çıkar. Zamanla hayvan tanrıların yerini kadim Mısır ve Mezopotamya'da görülenlere benzer hayvan-insan kırması ilahlar aldı.

Hayvan-insan melezleri Yunan ve Roma efsanelerinin demirbaşıdır; meşhur yaratıklar arasında *Minotauros*'lar, *kentauros*'lar, *harpyia*'lar, sfenksler, *khimaira*'lar ve sirenler sayılabilir. Hinduizmde en çok bilinen hayvan-insan biçimli ilah herhalde fil başlı tanrı Ganeşa'dır. Bu hale gelişini anlatan çeşitli masallardan birine göre, babası Şiva bir kızgınlık anında Ganeşa'nın başını uçurur ve ardından yerine ilk

ÖNCEKİ SAYFA *Işık saçan Tanrı, hayvanları yaratıp gönderiyor.* SOLDA Kitabı Mukaddes*'e göre, hayvanlar beşinci ve altıncı günde yaratılmıştır.* SAĞDA *Aphrodite bir kazın üstünde.*

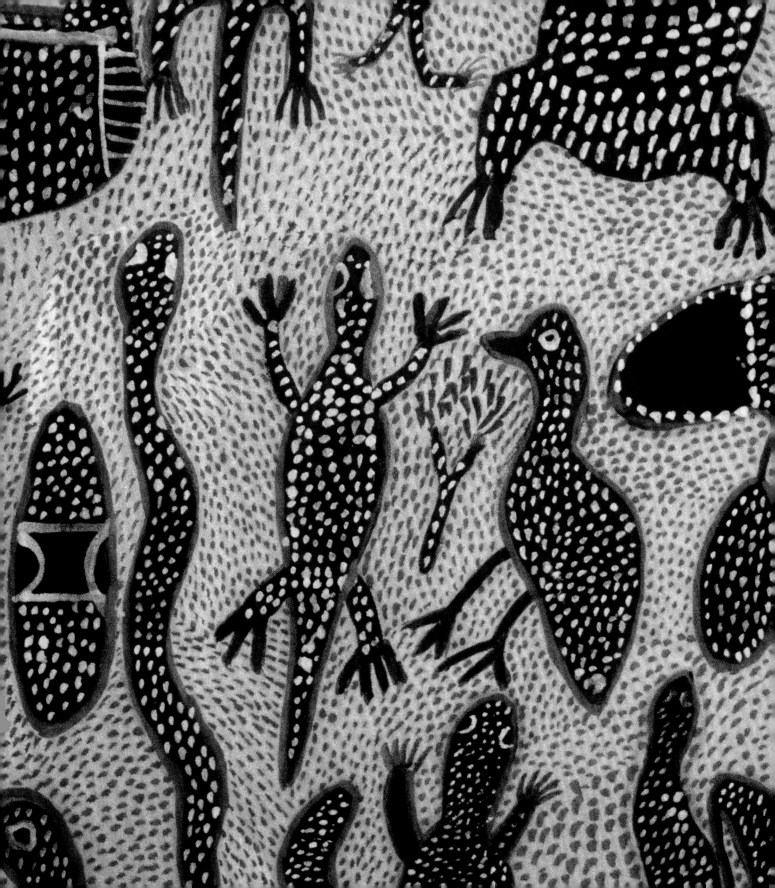

gördüğü hayvanın başını geçirir. Meksika ve Güney Amerika tanrıları çoğu kez değişken hayvan biçimleri taşır. Örneğin, Quetzalcoatl'ın kelime anlamı "tüylü yılan"dır. Tapınmak için seçilen yaratıklar bazen şaşırtıcıdır. Sözgelimi, kadim Mısır'da en sık rastlanan simgelerden biri bokböceğidir. Dışkısını top haline getirip yuvarlayan bu böcek, gök küreyi yönlendiren güneş tanrısı Khepri'ye benzetilir.

Hayvan evcilleştirme ve hayvancılık insan toplumuyla sıkı sıkıya bağlantılıydı. Evcilleştirilen ilk hayvan muhtemelen 15 bin yıl kadar önce köpekti; kısa bir süre sonra onu koyun izledi. Hayvanlardan elde edilen et, yün ve deri, tanrıların armağanları olarak görülürdü. Bir Amerika Yerli mitine göre, bütün av hayvanları ilk başta bir mağaraya kıstırılmış durumdadır; insanların ihtiyaç duyunca hayvan vurmak için kapıyı açmaları yeterlidir. Günün birinde hayvanlar kaçar ve artık onları avlamak için peşlerine düşmek gerekir.

Bazen hayvanlar insanoğlunu yaratmada ve beslemede rol oynar. İskandinav mitolojisinde inek Audumla bir tuz kütlesini yalayarak ilk insanlara şekil verir. Yunan efsanesine göre, Zeus bebekken saklandığı bir mağarada keçi Amalthea tarafından büyütülür. Frig ana tanrıçası Kybele'yi vahşi hayvanlar büyütürken, Romulus ile Remus'u bir dişi kurt, bebek Atalanta'yı ise bir ayı emzirir. Böyle durumlarda kaba saba yetiştirilmek, ilahın ya da kahramanın doğayla yakın bir bağlantıya girmesini sağlar.

Hayvanlar çoğu kez belirli tanrılarla ilişkilendirilir. Zeus kartallarla, İskandinav karşılığı Odin ise kurtlar ve kuzgunlarla bağlantılıdır. Hindu tanrılarının bir dizi sezgili hayvan binekleri vardır: Ganeşa bir farenin sırtında tasvir edilir; diğerleri ise tavuslara, boğalara ve kaplanlara biner. Aphrodite bazen bir kaza ya da kuğuya binmiş olarak tasvir edilirken, Dionysos'un arabasını kaplanlar çeker.

Ara sıra hayvanlar düzenbaz ve hilekâr çıkabilir. Kuzey Amerika Yerli geleneğinde, Çakal ve Kuzgun oyunbazdır. Japonya'da hiç kimse tilkilere, hele kılık değiştirdikleri için birkaç kuyruğu olan yaşlı tilkilere güvenmez. Hayvanlar aslında düşüşe yol açabilir: Eden Bahçesi'ndeki bir yılan, ilk insanları ayartıp günaha sokar ve kocaman bir tahta ata kanan Troyalıların içindeki Yunan askerlerini içeriye alması, on yıllık bir kuşatmadan sonra kentin yıkımına sebep olur.

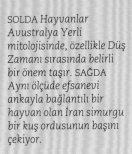

SOLDA Hayvanlar Avustralya Yerli mitolojisinde, özellikle Düş Zamanı sırasında belirli bir önem taşır. SAĞDA Aynı ölçüde efsanevi ankayla bağlantılı bir hayvan olan İran simurgu bir kuş ordusunun başını çekiyor.

İnekler ve Boğalar

Boğa kültü Hint-Avrupa kültüründe en eski tapınma biçimlerindendir. Geçmişi Mezopotamya'ya kadar iner. *Gılgamış Destanı*'nda gök tanrısı Anu'nun denetimindeki Gök Boğası adlı bir yaratığın Gılgamış'ı öldürmek üzere gönderildiği anlatılır. Boğaların hilal biçimli boynuzları ayla ilişkilendirilmelerine yol açar.

Kadim Mısır'da boğa tanrısı Apis ilk başta bereket tanrısı, sonraları ölülerin koruyucusu olarak önemli yere sahipti. *Kitabı Mukaddes*'te yaban ortamdaki İsrailoğullarının taptığı söylenen altın buzağı muhtemelen Apis kültünün bir uzantısıdır. Apis'in dişi karşılığı ise bebek Horus'u emziren inek Hathor'dur.

Arkeolojik bulgular Girit'te başka bir eski boğa kültünün varlığını gösterse de, tam niteliği hakkında çok az şey bilinmektedir. Efsane, Minotauros'un Girit kralı Minos'un eşi Pasiphaë ve denizden çıkan bir beyaz boğa arasındaki çiftleşmenin ürünü olduğunu anlatır. Aphrodite kraliçenin boğaya âşık olmasını sağlarken, Daidalos (*bkz. s. 200*) onunla çiftleşmesine uygun bir düzenek kurar.

Yunan mitolojisinde sığırlarla bağlantılı tek aşk macerası bu değildir. Zeus'un Europa'yı baştan çıkarmak için güzel bir beyaz boğa kılığına girdiğini anlatan bir efsane de vardır. Başka bir hikâye, yasak aşkının Hera tarafından öğrenilmesini önlemek isteyen Zeus'un *nypmha* İo'yu bir genç ineğe dönüştürmesini anlatır. Durumu anlayan Hera, onu dünyanın öbür ucuna kovalamak üzere bir atsineği gönderir. Şimdiki Boğaziçi'nin Yunanca adı Bosphorus "ineğin geçtiği yer" anlamına gelir; çünkü İo'nun Asya'ya oradan geçtiğine inanılır.

İskandinav mitolojisi, insan varlığının tuzu yalayarak ilk insanları ortaya çıkaran inek Audumla'yla başladığını belirtir. Memelerinden akan dört süt nehri bize cennetin dört nehrini hatırlatır.

İnek günümüzde Hindular için hâlâ kutsaldır. Şiva'nın bindiği boğa Nandi, bu tanrının ilk destekçisi ve ikamet yerinin bekçisidir.

SAĞDA Çift başlı bu garip Mısır büstünde Roma tanrısı Antinous boğa tanrı Apis'le kaynaşmış. YAN SAYFA Şiva ve Parvati boğa binekleri Nandi üstünde.

SOLDA Resimli bir Mısır tabutundaki bu sahne, boğayı bir yaratılış ve yeniden doğuş tanrısı olarak gösteriyor. YUKARIDA Minotauros'un sadece gövde kısmıyla insan göründüğü, alışılmamış bir tasvir. AŞAĞIDA Kadim Babil kentinde İştar Kapısı'ndaki bir boğa.

SOLDA *Hindu Kutsal İnek kavramı, her türlü zenginliğin kaynağı ve bütün tanrıların ikamet ettiği söylenen yerdir. SAĞDA Daidalos, Kraliçe Pasiphaë'nin gözde boğasıyla çiftleşmesini sağlayacak bir tahta inek hazırlıyor.*

Kaplanlar, Aslanlar ve Jaguarlar

Baskın yırtıcılar olan büyük kediler mitolojide belirgin yer tutar. Özellikle aslanın ilahlarla ilişkilendirildiği görülür. Babil ilahı Nergal çoğu kez aslan olarak tasvir edilirken, Mısır tanrıçaları Sekhmet ve Bastet, aynı şekilde savaş tanrısı Maahes aslan başlıdır. Tanrıça Hera ve Kybele'nin arabalarını aslanlar çeker; Hindu tapınaklarında yali denen ve bazen fildişleri varmış gibi tasvir edilen güçlü, büyülü bir aslanın görüntüleri bulunur.

Aslanlar ürkütücü hasımlardır. Herakles'e verilen ilk görev Nemea Aslanı'nı alt etmektir; delinmez bir posta sahip olmasıyla tanınan bu hayvanı boğma yoluna gider. Ardından söktüğü pençeleriyle postunu yüzer ve üstüne geçirir. Eski Ahit'te Tanrı, aslan inine düşen Danyal'ı ölümden kurtarır.

Jaguar tanrı, Tezcatlipoca'yla ve onun Maya karşılığı Ahau Kin'le ilişkilendirilmesinden dolayı Aztek ve Maya mitolojisinde merkezi önem taşır. Maya inancına göre, jaguarlar sağların ve ölülerin dünyaları arasında gidip gelebilir ve kraliyet ailesince korunur. Erken dönem Olmek sanatında da Avrupa kurt adamına benzer bir tür jaguar adam tasviri görülür. Azteklerin jaguar savaşçıları bu hayvanları andıracak şekilde giyinirdi.

Hinduizmde Dawon adlı kaplan, Durga'nın ara sıra bindiği hayvandır; Çin mitolojisinde de kaplan bazen tanrıların bineği olur ve ayrıca ejderhayla çekişir.

SOLDA Kore dağ cinlerine çoğu kez kaplanlar eşlik eder. YUKARIDA Afganistan'da bulunan bu tabakta Kybele bir aslan tarafından çekilen arabasında görülüyor.

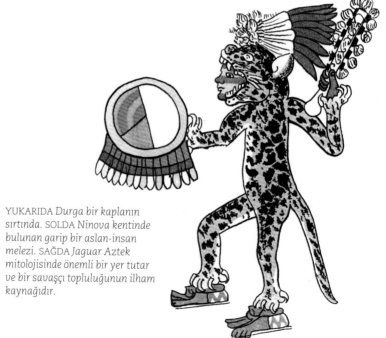

YUKARIDA *Durga bir kaplanın sırtında.* SOLDA *Ninova kentinde bulunan garip bir aslan-insan melezi.* SAĞDA *Jaguar Aztek mitolojisinde önemli bir yer tutar ve bir savaşçı topluluğunun ilham kaynağıdır.*

Kaplanın eşlik
ettiği bir Çin
koruyucu ilahı.

趙公明紂之猛將能伏大虎

Kartallar

Kartallar çoğu kez tanrılarla ve hükümdarlıkla ilişkilendirilir. Güneş tanrısı Şamaş, bir oğlunun olmasını isteyen Sümer kralı Etana'ya bir kartal gönderir. Kartal onu alıp göğe taşır ve tanrıça İştar'ın dileğini kabul etmesiyle ilk Sümer hanedanı kurulmuş olur. Bir aslan-kartal melezi olan Mezopotamya Anzu kuşu kanatlarını çırparak fırtınalara yol açar.

Benzer şekilde, Amerika Yerli mitolojisindeki Gürleyen Kuş, kanatlarını çırptığında göğü gürletir ve gözlerinden şimşekler çakar. Bazı mitler, kartalı Gürleyen Kuş'un yardımcısı olarak nitelendirir. Meksika'da Azteklerin seçkin birlikleri kartal savaşçılar, güneşin askerleri olarak anılırdı. Yunan mitolojisinde kartal, Zeus'un gözde görünüşlerinden biridir; sözgelimi Ganymedes'i kaçırırken (*bkz. s. 140*) bu görünüme girer. Hindu mitolojisinde kuşların kralı ve çoğu kez Vişnu'nun bineği olan Garuda kısmen kartaldır.

İskandinav dünya ağacı Yggdrasil'in tepesinde, evrenin işleyişini anlayan bir kartalın yuvası bulunur. Kelt mitolojisinde kartallar uzun ömür bakımından somonun ardından ikinci sırada gelir ve Gal masal dizisi *Mabinogion*'da bilge kartal, kahramanın büyülü çocuk Mabon'u bulmasına yardımcı olur.

SOLDA YUKARIDA Gürleyen Kuş'un tasvir edildiği bir
Amerika Yerli başlığı. SOLDA AŞAĞIDA Vişnu efsanevi
Garuda'nın üstünde. YUKARIDA Seçkin bir Aztek kartal
savaşçısı. Kartal güneşin bir simgesiydi.

Zeus'u timsali bir kartalla birlikte gösteren bir antik Yunan kupası.

Bu Pavni tören davulunda,
fırtınaların yaratıcısı
Gürleyen Kuş yıldırımlar
savururken görülüyor.

Kuzgunlar

||||||||||||||||||||||||||||||||||||||||||||||||

Mitolojideki en ünlü kuzgunlar Odin'in omuzlarında duran Huginn ve Muninn'dir herhalde. Bu iki kuş ona ulaklık ederek dünyanın her yanından haberler getirir. Ayrıca Kelt mitolojisinde savaşla ilişkilendirilir.

Kuzgunlar *Kitabı Mukaddes*'te de tanrısal ulak rolünü oynar. *Eski Ahit*'te Tanrı, İlyas peygamberi beslemek için bir kuzgun gönderir. *Kur'an*'a göre Allah, kardeşi Kabil tarafından öldürülen Habil'in mezarını kazması için bir kuzgunu görevlendirir. *Talmud*'da kuzgun, Nuh'un Gemisi'ndeyken çiftleşen üç hayvan türünden biri olarak nitelendirilir. Tufan sona erdiğinde, Nuh bir kuzgunu ve bir güvercini salar. Kuzgun kayıplara karışırken, güvercin gagasında bir zeytin dalıyla döner.

Amerika Yerli mitolojisinde Kuzgun azıcık Çakal'ı (bkz. s. 70) andıran bir oyunbaz figürdür. Bazı efsanelere göre, dünyayı yaratan odur ve dışkısıyla dağları oluşturmuştur. Ayrıca insanlara üremeyi öğretmekten şehvetli zevk duyar.

YUKARIDA Eski Ahit peygamberlerinden İlyas'ın yaban ortamda saklanırken bir kuzgun tarafından beslenişi. SAĞDA Odin'in iki kuzgunu Huginn ile Muninn, omuzlarına tüner ve ona akıl verir. Tanrının oyulmuş gözü.

Odinn
Huginn

Köngur
Muninn

Geyrin
Gugnir

Hrafnar
tveir sitia
a Oxlum
hanz.thei
ʃa hugin
ʃ muninn
þæra hio
nu þrieck
um alla
heim

Obin
byrtist
tydum i
blasledk
hotte
Hæcklu
z hafdi
stund
um Ge
yr. Stu
ndu stap
i hendi
med si
idan
hattä höpdi
fr þ seit hn
ʒydhotur

Allahýmid
ʃonttafeyi
hargar nu
nü þiödir;
Adur þyrba
Ony a mey
ʃem äunu
lü villuʃlo
der. þadur
Sburd Cob
eptr Obni
ʒmydad.

VP̄ T̄ RĀ ET QVINDECI CVBITIS ALCIORI

SVP̄ RE ĒT OIS CROS VP̄ RĀ EMISͫ NOE CO

BͫT

TELLEX NOE EXCESSAS ET ꝙ DILVVII:

INNVBIB: · ET ERIT SIGNV̄ FEDE

SOLDA Nuh Büyük Tufan'dan sonra
iki kuşu dışarı salar. İlki olan kuzgun
leşle karnını doyurmaya koyulurken,
güvercin bir zeytin dalıyla döner.
YUKARIDA Bu Amerika Yerli şaman
çıngırağında, ayı gagasında taşıyan
bir kuzgun görülüyor. YANDA
Grönland'da bulunan bu garip
şaman yontusu kısmen kuzgun,
kısmen ölü çocuk görünümünde.

Tavuslar

Tavus, Zeus'un eşi Hera'yla ilişkilendirilir ve çoğu kez onun arabasını çekerken gösterilir. (Bu görüntü Rönesans'ta gözde bir motiftir.) Bu kuşa özgün kuyruğunu veren de Hera'dır: Hizmetindeki yüz gözlü dev Argos'un başı Hermes tarafından kesilince, gözlerini tavusun kuyruğuna yerleştirir.

Hıristiyan geleneğinde tavus saflığın bir simgesi olarak Meryem Ana'yla ilişkilendirilmiştir. Tanrıça Saraswati gibi çeşitli Hindu ilahları da tavusu binek hayvanı olarak kullanır. Tavusun gururu temsil ettiği söylense de, başka bağlamlarda ölümsüzlüğün ifadesi de olabilir.

YUKARIDA Yüz gözlü Argos'a verilen görev İo'ya gözcülük etmektir. Argos, Hermes tarafından öldürülünce, Hera onun gözlerini tavusun kuyruğuna yerleştirir. SAĞDA 10. yüzyıla ait bir Kitabı Mukaddes nüshasında tavusu konu alan bir Mozarab resmi.

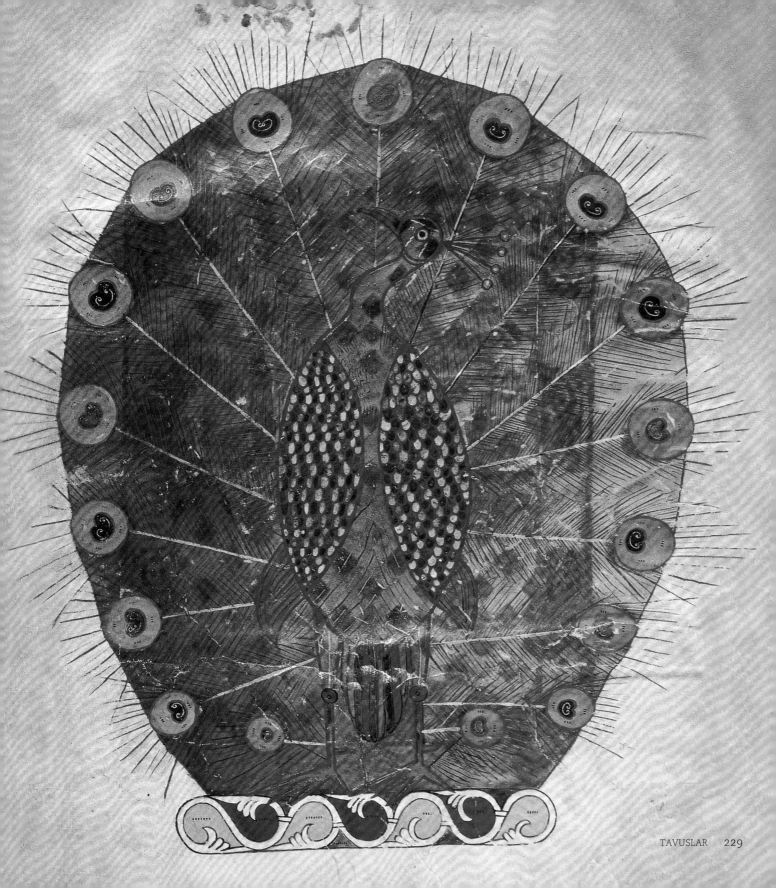

YUKARIDA *Jean de La Fontaine'in bir fablındaki sahne: Tavus yakından ilişkilendirildiği tanrıça Hera'nın heykeli önünde, kendisine verilen bet sesten yakınıyor. SAĞDA Hindu nehir tanrıçası Saraswati genellikle tavusuyla birlikte tasvir edilir.*

Yılanlar

Yılanlar insanoğlunun en eski hasımlarındandır. Bazı uzmanlar mitolojide yılanın fallus simgesi olduğunu ileri sürerken, diğerleri (yerin altında yaşamasından dolayı) toprak analarla ilişkilendirir.

Musevi-Hıristiyan geleneğinde en kötü namlı yılan, Eden Bahçesi'nde görülendir. Tanrı onu göbeği üstünde sürünmekle cezalandırır; bu da ilk başta bacaklarının olduğuna işaret eder. Daha sonraları Musa yılan sokmalarını mucizevi biçimde iyileştiren pirinçten bir yılan yapar.

Diğer mitolojilerde yılanın devasa boyutlara ulaştığı olur. Apollon zorlu Python'la (genellikle yılan gibi tasvir edilmesine karşın, bir tür ejderha), İskandinav tanrısı Thor ise yılanların en büyüğü Midgard Yılanı'yla boğuşur. Dünya Yılanı olarak da bilinen bu ikinci yaratık yerküreye çepeçevre dolanır.

Ne var ki, bütün yılanlar kötü değildir. En önemli Mezoamerika kültür kahramanlarından Quetzalcoatl sıklıkla bir "tüylü yılan" olarak tasvir edilir; Hindu mitolojisinde çok başlı dev yılan Seşa ("sonu olmayan" anlamındaki diğer adı Ananta) yaratılış evreleri arasında uykuya dalan Vişnu'ya uysalca dayanak olur. Naga yılanları Vişnu'nun bineği Garuda'nın yeminli düşmanıdır.

YUKARIDA Ölüler Kitabı'nda Mısır Sata yılanının bir imgesi. SAĞDA Bilgelik kartalı ve Naga yılanlarının düşmanı Garuda. YAN SAYFA Bu 9. yüzyıl İskandinav oyma işinde görüldüğü gibi, efsanevi kral Gunnar (Gunther) bir yılan çukuruna atılır.

SOLDA Çok başlı yılan
Şeşa mitlerde Vişnu'nun
en sadık destekçisi olarak
geçer. SAĞDA Tanrı'nın
Havva'yı ayartan yılana
verdiği ceza, göbeği
üstünde sürünmek ve toz
yutmaktır.

Keçiler

Keçiler evcilleştirdiğimiz en eski hayvanlardan biridir; bu olgu Avrupa mitlerinde öne çıkmasını açıklıyor olabilir. Sözgelimi, bebek Zeus Girit'teki İda Dağı'nın bir mağarasında babasından saklanırken, keçi Amalthea tarafından büyütülür. Amalthea daha sonra boynuzlarından birini çiçeklerle ve meyvelerle doldurup ona hediye eder; "bereket boynuzu" anlamındaki *cornucopia* kelimesi buradan gelir. Yunan tanrısı Pan'ın keçi bacakları vardır ve aslan ve ejderha biçimindeki efsanevi azgın yaratık Khimaira'nın karın kısmının bir keçi görünümünde olduğu söylenir.

İskandinav tanrısı Thor'un arabasını Tanngrisnir ve Tanngnjóstr adlı keçiler çeker. Her gece kesilip pişirilmelerine karşın, ertesi sabah mucizevi biçimde dirilirler. Thor bir keresinde yemeğini bazı köylülerle paylaşır; içlerinden biri iliğini yemek için bir kemiği kırınca, ertesi gün keçinin topal olduğu görülür.

AŞAĞIDA *Thor keçilerinden birinin topal olduğunun farkına varıyor.* SAĞDA *Bu eğlenceli içki âlemi resminde Pan'ın timsali keçi de görülüyor.*

Atlar

||||||||||||||||||||||||||||||||||||||

Atlar ilk kez evcilleştirildikleri İÖ 4000 dolaylarından beri benzersiz bir ulaşım aracı olmuştur. Odin'in atı Sleipnir sekiz bacaklı olduğundan hızlıdır ve yere sağlam basar. (Kimi zaman ona binip yeraltına indiği bile olur.) Loki'nin yavrusu olduğu ve bu fitneci tanrının kısrak kılığına girdiği sırada döllendiği söylenir.

Yunan *kentauros*'ları yarı-insan, yarı-attır; kanatlı at Pegasos ise Perseus tarafından başı uçurulan canavar Medusa'nın boynundan ortaya çıkar. Kahraman Bellerophon daha sonra Pegasos'a binerek Khimaira'yı öldürmeye gider.

Belki de en ünlü mitolojik at hiç de gerçek bir at değildir. Yunanlar yıllarca Troya'yı kuşatma altında tuttuktan sonra, ülkelerine dönüyormuş gibi yaparak, geride tahta at biçiminde çok büyük bir sunu bırakır. Troyalılar armağanı kabul eder, ama Yunan askerleriyle dolu olduğunu anlayınca şaşkınlığa uğrar.

YUKARIDA *Bellerophon kanatlı at Pegasos'un üstünde Khimaira'yla dövüşüyor.* SAĞDA *Herakles sekizinci görevi sırasında Trakyalı Diomedes'i kendi etçil atlarına yedirir.*

Kurtlar

Loki'nin oğlu olan dev kurt Fenrir, İskandinav tanrısı Odin'in düşmanıdır. Tanrılar tarafından yakalanır, ama bir türlü öldürülemeyince zincirle bağlanır. Ne var ki, Fenrir büyümeye devam eder ve Ragnarök zamanı geldiğinde, yer ile gök arasındaki boşluğu dolduracak cüsseye varır. Nihai çarpışmada Odin'i yutacağı söylenir. İskandinav mitolojisi engereklerden oluşmuş dizginleri kullanarak dev bir kurda binen dişi dev Hyrrokkin'le ilgili masalları da içerir.

Amerika Yerli mitolojisine göre, Çakal'la tartışmaya giren Kurt onun oğlunu öldürür ve böylece dünyaya ölümü getirir.

SOLDA Farsça Şehname kitabında anlatılan bir olayda kahraman Feramurz'un bir cadı-kurdu öldürüşü. YUKARIDA Kurt biçiminde bir Amerika Yerli tören başlığı. SAĞDA Dev kurt Fenrir tanrı Tyr'ın elini ısırıp koparıyor.

YUKARIDA *Bir tosbağa biçimindeki Aztek tanrısı Macuilzochitl.*
SAĞDA ÜSTTE *Vişnu, avatar'ı Kurma, yani tosbağa görünümünde.* SAĞDA
ORTADA *Bu Maya seramiğinde dünyanın yaratıcısı, dünyayı temsil eden
kaplumbağanın üstünde dururken görülüyor* SAĞDA AŞAĞIDA *Hastalığı
savuşturmak için takılan kaplumbağa biçiminde bir Siu nazarlığı.*

Kaplumbağalar

Dünya mitolojisinde kaplumbağaların ve tosbağaların oynadığı önemli rol büyük ölçüde uzun ömürlü olmalarından kaynaklanır. Hinduizmde kaplumbağa Akupara, dünyayı sırtında taşır. (Bazı anlatımlarda dünyayı tutma görevini onun sırtında duran bir fil yerine getirir.) Dev kaplumbağa Kurma ise Süt Okyanusu'nun çalkalanışı (*bkz*. s. 162) sırasında yararlılık gösterir. Dünya Kaplumbağası kavramı bazı Amerika Yerli mitlerinde de karşımıza çıkar ve depremler onun hareketlerine bağlanır.

Çin'de tosbağanın Pan Gu'ya dünyayı yaratmada yardım ettiği söylenir. Başka bir efsane Gong Gong'un göğü tutan dağı yıkmasından sonra, yaratıcı tanrıça Nuwa'nın göğü Ao adlı dev bir kaplumbağanın bacaklarıyla havada tuttuğunu ileri sürer. Ao'nun Penglai Dağı'nı da sırtında taşıdığı söylenir.

Afrika mitleri çoğu kez tosbağayı en akıllı hayvan olarak sunar. (Aynı yargı Ezop'un fabllarına da yansır.) Yunan mitolojisinde bebek Hermes ilk arpı, inek bağırsağından teller gerilmiş bir tosbağa kabuğuyla yapar. Aztekler kaplumbağa kabuklarını müzik icrası için de kullanır; Xochipilli'nin bir görünümü olan müzik tanrısı Macuilzochitl'in kaplumbağayla birlikte sıkça görülmesi bundandır. Maya mitolojisinde mısır tanrısının bir kaplumbağanın kabuğundan tekrar doğuşuyla ilgili masallar vardır.

Mitolojik Yaratıklar

Normal kategorilere girmeyen hayali yaratıklar bütün mitolojilerde görülür. Çoğu başka hayvanların karma biçimleri ya da insan-hayvan melezleridir. Mutlaka kötü niyetli olmamakla birlikte, çoğunun büyülü güçleri vardır.

Belki de en çok bilinen örnek ejderhadır. Bu efsanevi canavara dair Mezopotamya kaynaklı hikâyeler zamanla antik Yunan dünyasına, Çin'e ve Japonya'ya yayılmıştır. Ejderha Asya'da uğurlu bir yaratığa, bir talih taşıyıcısına ve bir kraliyet simgesine dönüşür. Yunanistan'da ise kahramanların alt etmesi gereken bir varlık olarak daha canavarımsı niteliğe bürünür.

Bir aslan ve kartal karması olan grifon'a kadim Yakındoğu'da ve daha sonraları Girit'te rastlamak mümkündür. Hıristiyan geleneğinde tek boynuzlu at ancak bir bakire tarafından ehlileştirilebildiği için Meryem Ana'yla ilişkilendirilir. Mısır tanrılarının çoğu hayvan-insan meleziyken, sırf farklı hayvan organlarından oluşmuş bazı varlıklar da görülür: Örneğin cin Ammit'te timsah, suaygırı ve aslan özellikleri birleşmiştir.

Yunan sfenksi aslan gövdesi ve bacakları, kartal kanatları, kadın başı ve göğsü taşır. Kadim Mısır karşılığı genellikle erildir ve daha iyi huyludur.

AŞAĞIDA Ejderha masallarına dünyanın her yanında rastlanır. Bu gravür Polonya'nın Kraków kenti yakınında bulunduğu söylenen bir ejderhayı resmediyor.
SAĞDA Sfenks aslan, kartal ve insan bileşimi bir yaratıktır. Burada Oidipus'a meşhur bilmecesini soruyor.

YUKARIDA SOLDA Bu freskin ön planında kentauros Khiron, ortasında ise Helikon Dağı ve Pegasos'un toynağıyla oluşan Hippokrene çeşmesi görülüyor. SOLDA Ateş soluyan tipik bir Avrupa ejderhası. YUKARIDA Bariz cinsel organlarıyla ve tehdit edici duruşuyla ilk Yunan kentauros tasvirlerinden biri. SAĞDA Suaygırı, aslan ve timsah bileşimine dayanan sinsi Mısır cini Ammit, aşağılık ölülerin ruhlarını yutar.

Başkalaşım

Romalı şair Ovidius İS 1. yüzyılda şekil değiştiricileri konu alan klasik hikâyelerin bir derlemesini hazırlamıştır. Onun anlattığı evren değişkendir ve hiçbir şey göründüğü gibi değildir: Minerva'yı dokuma yarışına çağıran Arakhne adlı kadın örümceğe dönüşür; Alkyone ve kocası yalıçapkınına dönüşür; Atalanta bir aslana dönüşür.

Başkalaşım Hindu geleneğinde de karşımıza çıkar. Bir hikâye, bağlılığı sayesinde ölümsüzlüğe kavuşan Hiranyakaşipu adlı bir cin kralını anlatır. Artık ne insan ne de hayvan tarafından öldürülebilir. Vişnu'nun bu soruna bulduğu çözüm basittir: Yarı-insan, yarı-aslan Narasimha *avatar*'ına dönüşür ve bu haliyle cini yok eder.

YUKARIDA *Minerva'nın izlediği Arakhne, yakında geçireceği başkalaşımın farkında olmaksızın tezgâhı başında çalışıyor.* SAĞDA *Şiva çocuğu Ganeşa'nın kesik başının yerine bir fil başı geçirir.* YAN SAYFA *İnsanın ya da hayvanın yenemediği Hiranyakaşipu'nun melez Narasimha tarafından yutuluşu.*

YUKARIDA VE SAĞDA
Artemis'i yıkanırken gören
Akteon, ceza olarak bir
erkek geyiğe dönüştürülür
ve kendi köpekleri
tarafından öldürülür.
SOLDA Odysseus'un yol
arkadaşları cadı Kirke
tarafından çeşitli
hayvanlara dönüştürülür.

6

SİMGESEL
NESNELER

M itolojide belli nesnelere anlam yüklenir. Bazıları kil, kan, süt ve ateş gibi günlük hayatta karşılaşılan şeylerdir. Diğerleri daha az bulunur olmakla birlikte, evrensel ve yüksek değer biçilen şeylerdir: İyi bir örnek, çoğu kültürün öteden beri değer verdiği altındır. Antik Yunanlar hayatın güzel olduğu "Altın Çağ"dan söz eder; Kral Midas dokunduğu her şeyi altına çevirmek ister; Güney Amerika'nın İspanyol fatihlerine El Dorado ("Altın Adam") adlı bir kabile şefince yönetildiği söylenen efsanevi Altın Kent'i bulma arzusu yön verir.

Kan hayatla en yakından ilişkili şeydir ve anlamı açıktır: Yaşam gücünü ifade eder. Aztekler tanrıların varlıklarını sürdürmeleri için kan adamayı gerekli sayardı. Hıristiyanlıkta kan daha da zengin bir simgesellik kazanır. Mesih'in çarmıha gerilişinden önceki gece yenen yemekte şarap için söylediği "Bu benim kanımdır" sözleri günümüzde aşai rabbani ayininde anılır. Benzer şekilde, *Mısır'dan Çıkış Kitabı*'nda Vaat Edilmiş Topraklar "süt ve bal akan" yer diye tarif edilir; Tanrı'nın hayatta kalmaları için mucizevi kudret helvası göndermesine karşın, yaban ortamda zorluklarla boğuşan İsrailoğullarına böyle bir hayal çekici gelmiş olsa gerek.

Özel anlam taşıyan birçok nesne şaşırtıcı ölçüde sıradandır. Örneğin, kil çeşitli yaratılış mitlerinde görülür. İslam geleneği insanın kilden yapıldığını belirtir. *Eski Ahit*'te uzun süren acı çeken Eyüp bunu doğrular: "Ben de kilden yapıldım." Yahudi mitolojisinde kilden yapılan ve daha sonra bir tılsımla can verilen intikamcı yaratık Golem'e ilişkin masallar yer alır. Yerli mitinde ise insanlar kilin ya da çamurun içinden çekilip çıkarılır.

Altın dışındaki metaller de önemlidir. Demir Avustralya Yerli mitolojisinde özellikle *maban* ("büyülü") sayılan kırmızı toprakboya biçiminde çok geçer. Güney Afrika'nın San halkları hayat verici özellikler yakıştırdıkları toprakboyaya değer verir. Kahraman İason'un yolculuklarını konu alan destanda, Girit kıyısında İason'un gemisini kaya yağmuruna tutan tunç dev Talos hikâyesi yer alır; *Eski Ahit*'te, Musa bir kutsal nesne olarak Pirinç Yılan'ı yapar. Sonraki haham mitolojileri bedeninde çocukların kurban olarak yakıldığı tunç tanrısı Moloh'tan söz eder. Günümüzde bilinen çeşitli metallerin adları Plutonium, Uranium ve Mercurius gibi mitolojik karakterlerden gelir.

ÖNCEKİ SAYFA *Ölümsüzlük iksiri elde etmek için Süt Okyanusu'nun çalkalanışı.* SOLDA *Musa bir altın buzağıya tapan İsrailoğullarını bulmak için Sina Dağı'ndan iniyor.* YUKARIDA *Altın Mezoamerika halkları için kutsal anlam taşırdı. Burada görülen eser, ışıldayan bir güneş kursunu betimliyor.*

Mitolojideki en sert madde efsanevi "katı-taş"tır; görünüşe bakılırsa bu terim değerli taşlardan metallere kadar son derece dayanıklı bir dizi malzemeyi belirtir. Yunan efsanesinde Kronos babası Uranos'u bir katı-taş orakla iğdiş eder ve Perseus da Medusa'nın başını katı-taştan bir kılıçla keser. Prometheus'un ve Loki'nin katı-taştan zincirlerle bağlandığı söylenir.

Birçok mitolojik nesne ölümsüzlükle ilişkilidir. Simyacılar adi metalleri altına çevirmenin yanı sıra hayat iksiri sağladığı söylenen Felsefe Taşı'nı yüzyıllar boyunca aramışlardır. Hindu mitolojisinde *soma* adlı içki aynı işlevi görür; Yunan mitolojisinde tanrılar varlıklarını *ambrosia*'yla sürdürür.

Evrenin kökenine ilişkin İskandinav anlatımına göre, hayatın başlangıcı iki temel unsura bağlıdır: Dondurucu Niflheim dünyasındaki buz ve karşıtı olan yakıcı Muspelheim dünyasındaki ateş; bunlar Ginnungagap denen esneyici bir boşlukla ayrılır. Niflheim'de bulunan bir kuyunun ya da pınarın dibinde kıvrılıp duran çok yılan yaşar. Yılanların zehri yüzeye çıktığında buzla birleşir; bu karışım boşluğa düştüğünde Muspelheim ateşleriyle buharlaşır. Ortaya *eitr* denen garip ve büyülü bir madde çıkar. İlk dev Ymir hayatın özü olan bu maddeden yapılmıştır. Ymir uyurken, koltukaltlarından sızan ter başka devlere dönüşür. Onu ve yavrularını yine *eitr*'den yaratılmış olan, Audumla adındaki inek besler.

SOLDA *Bal çoğu kez tanrıların besini olarak kabul edilir.*
SAĞDA *Aztek tanrıçası Mayahuel sarhoş edici pulque içkisinin yapımında kullanılan bir agave bitkisi üstünde oturuyor.*

los q̃ naçian aqui aiome de ß borrachos

Altın

Kadim Mısırlılar, özellikle güneş tanrısı Ra'yla ilişkili olmasından dolayı altına değer verirdi. Güney Amerika'da efsanevi İnka şefi El Dorado'nun bahçesinde bütün hayvanların ve bitkilerin altından olduğu söylenir.

Yunan efsanesinde kahraman İason'a Altın Post'u bulup getirme görevi verilir; kutsal bir koruda saklanan ve bir ejderha tarafından korunan bir altın koçun postudur bu. İason canavarı öldürür ve postu alıp döner. O zamandan beri Altın Post kraliyet otoritesinin bir simgesi, bir tür altın madenciliği ve hatta Yunan dünyasının doğu sınırlarındaki zenginliği olarak yorumlanır.

Altınla ilgili belki de en ünlü mit Midas'ın hikâyesidir.

Bakkhos'un sarhoş olup kayıplara karışan Silenos'a sahip çıkması nedeniyle bir dilekte bulunma hakkı tanıdığı Midas, kendisine dokunduğu her şeyi altına çevirme yeteneğinin verilmesini ister. Aldığı yeni armağan ilk başta onu memnun eder, ama yediği ve içtiği şeyler de metale dönüşünce pişmanlık duymaya başlar. Bakkhos'a artık bir lanet olarak gördüğü bu durumdan kurtarılması için yalvardığında, Sart Deresi'nin sularında yıkanması bildirilir. Derede çok altın bulunması bazen bununla açıklanır.

YUKARIDA İason tanrı Ares için kutsal korudan Altın Post'u getiriyor. SAĞDA Danae ve hizmetçisi gizemli bir altın sağanağının (kılık değiştirmiş Zeus) ortaya çıkışını merakla izliyor.

SOLDA Avrupalıların İnka kralına bakışı: El Dorado ("Altın
Adam") vücudunu altınla sıvatıyor. YUKARIDA Midas her şeyin
altından yapılmasına gerek olmadığını kavramaya başlıyor.

Süt

|||||||||||||||||||||||||||

Hindu mitolojisinde engin Süt Okyanusu, hayat verici iksir *amrita*'yı üretir ve Seşa'nın sırtında uykuya dalan Vişnu'nun yüzdüğü yerdir. İnek sütünden elde edilen sadeyağ Hindu ayinlerinde hayati yer tutar.

Mısır tanrıçası Hathor çoğu kez adı "süt" anlamına gelen sağımlık inek Hesat kılığında görünür ve diğer tanrıları emzirir.

Antik Yunan inancına göre, Samanyolu Hera'nın memesinden çıkan sütle oluşmuştur. Oğlu Herakles'e düşkün olan ve annesinin ölümlü olmasına üzülen Zeus, çocuğu uykudaki Hera'nın koynuna sokup emzirmeye karar verir. Uyanan Hera olup bitenleri fark edince, bebeği koynundan silkip atar ve saçılan süt gökyüzüne yayılır.

SOLDA Hera'nın memesinden saçılıp gökyüzüne yayılan sütün Samanyolu'nu oluşturuşu. AŞAĞIDA Oğlunu emziren Meryem Ana heykeli, "Virgo Lactans" olarak bilinen bir heykel türünü oluşturur. SAĞDA Tanrıça Hathor bir tanrıyı emziriyor.

Kan

Kan birçok mitolojide özel anlam taşır. Aztekler tanrıların, özellikle de güneş tanrısı Tonatiuh'un varlığını sürdürmesi için sürekli kan vermenin gerektiğine inanırdı. Kan adağına İskandinav mitolojisinde ve ayinlerinde de rastlanır.

Hıristiyanlıkta kan Mesih'in çarmıha gerilişiyle temsil edilen bir tür kurbanla bağlantılıdır. Özellikle Ortaçağ sanatında, aşai rabbaniyle bir bağlantıyı öne çıkarmak açısından Mesih'in kanı bir kupada toplanırken gösterilir.

Kanın hayat verici özellikleri Hindu mitolojisinde de karşımıza çıkar. Raktavija adlı cini yaralayan Durga, dökülen her kan damlasından düşmanının bir kopyasının çıktığını görünce korkar. Bu soruna bulduğu çözüm biraz dehşet vericidir: Tanrıça Kali savaş alanını dolaşıp her damlayı yalar ve böylece Raktavija'nın bütün kanını emer.

Yunan mitinde tanrıların kanı *ikhor* olarak anılır ve altın renginde olduğu düşünülür. İnsanlar için son derece zehirli olduğu söylenir. Kahraman Siegfried (*bkz.* s. 308) ise bir ejderha kanında yıkanınca yenilmezlik kazanır.

SOLDA YUKARIDA *Bir Aztek ilahına adak olarak kan sunuluşu.*
SOLDA AŞAĞIDA *Medea vücudundaki kanı boşaltarak İason'u gençleştirirken.* SAĞDA *Kan dökmek için iyi ve kötü zamanları, cinlere karşı tetikte olunması gereken anları gösteren bir Tibet şeması.*

P. 60/1348

VT LOTH SALVET VR NE RE SPICI AT PROHI BET VR

SIC VIA NTRE V ERI PER HEROD IS REGN A SABEI

Tuz

Tuz hayat için gereklidir; ama İskandinav mitolojisinde bizzat hayatın özüdür, çünkü inek Audumla ilk varlıkları bir tuz kütlesini yalayarak ortaya çıkarmıştır.

Eski Ahit'in *Tekvin Kitabı*'na göre, Lût ve karısı, tam yıkılmak üzereyken Sodom kentinden kaçar. Tıpkı Orpheus gibi, onlara da arkaya bakmamaları bildirilmiştir. Ancak Lût'un karısı geriye kısa bir bakış atar ve bir tuz sütununa dönüşür.

Aztek tuz tanrıçası, Tlaloc'un kız kardeşi Huixtocihuatl'dır; Roma mitolojisinde Salacia adlı bir deniz suyu tanrıçası vardır. Çeşitli mitolojilerde tuz sıklıkla tanrılara sunulan bir şey olarak karşımıza çıkar.

Eski İskandinav şiiri *Grottasöngr*'de anlatılan bir mit, Menia ve Fenia adlı iki dişi devi konu alır. Deniz kralı onları bir değirmen taşını çevirip tuz öğütmeye zorlar; ama bütün düzeneğin denize düşmesiyle sular tuzlu hale gelir.

YUKARIDA *Lût'un karısı yüzünü Sodom kentine çeviriyor ve bir tuz sütununa dönüşüyor.*
SAĞDA *Dişi devler Menia ve Fenia'nın tuz öğütmeye zorlanışı.*

İçki

Tufan sonrasında karaya inen Nuh bir bağ diker, şarap üretir ve içmeye koyulur. Oğullarından Ham onu çıplak ve sarhoş halde görünce lanetlenir. *Eski Ahit'in* daha sonraki bir hikâyesinde Lût'un kızlarının ondan çocuk edinmek üzere babalarını sarhoş edişleri anlatılır.

Aztek kültüründe *pulque* denen alkollü içecek önemli bir rol oynar. Agave bitkisinden yapılan bu içinin tanrısal kaynaklı olduğuna, insanları dans edip şarkı söylemeye özendirmek için Quetzalcoatl tarafından gönderildiğine inanılır. Kurban edilecek kişilere de *pulque* içirilir.

Yunan mitolojisinde içkiyi destekleyen figür, şarap ve pervasız işret tanrısı Dionysos'tur (Roma mitolojisinde Bakkhos). Onun dostu olan yaşlı Silenos içkiye düşkünlüğün sakıncalı yanını temsil eder ve çoğunlukla sarhoş ya da uykulu halde tasvir edilir.

Hindu mitolojisinde içkinin yaratıcısı Varuna'nın eşi *asura* Varuni'dir. Kadim Mısır inancına göre, aslan tanrıça Sekhmet, tanrılar tarafından insanları yok etmek üzere gönderilir. Giriştiği katliamı durdurmak için, kocaman bir fıçıdaki bira kırmızıya boyanır. Bunun kan olduğunu sanıp içen tanrıça öylesine sarhoş olur ki, insan kıyımı son bulur.

SOLDA Başında asma dallarından çelengiyle ve elinde üzüm salkımlarıyla körkütük sarhoş Silenos. AŞAĞIDA Odysseus ve yol arkadaşlarının bol bol sert şarap içirerek Kyklops Polyphemos'u kör edişi.

Elma

Mitlerde sıklıkla karşımıza çıkan elma hemen her zaman hayatla ya da bilgiyle ilişkilendirilir. *Kitabı Mukaddes*'in meşhur hikâyesinde, Havva kandırdığı Âdem'e Bilgi Ağacı'nın yasak meyvesini yedirir; metinde belirli bir adın verilmemesine karşın, bu meyve geleneksel olarak elma şeklinde tasvir edilir.

Kocaya varmamaya kararlı Atalanta'yı konu alan Yunan efsanesinde, bu delişmen prenses nihayet bir koşu yarışında kendisini geçecek talibiyle evlenmeye söz verir. Son derece hızlı olduğu için tehlikede olmadığı kanısındadır, ama Aphrodite bahsi kabul eden Hippomenes'e Atalanta'nın ilgisini dağıtacak üç altın elma verir. Atalanta aralıklarla yere konulmuş elmaları toplamaktan kendini alamayınca yarışı kaybeder.

Paris'in Kararı olarak bilinen mitte de bir altın elma geçer; Eris ("Fitne") bunu bir kavgayı kışkırtmak üzere üç tanrıçanın (Aphrodite, Hera ve Athena) ortasına atar. İskandinav mitolojisinde altın elmalar sonsuz yaşam kazandırır ve tanrıların gücünün kaynağıdır.

AŞAĞIDA Tekvin Kitabı'nda bir elma insanoğlunun gözden düşüşüne neden olur. SAĞDA Üç tanrıça, uyuyan Paris'in yanına kararını sormak üzere varıyor; Mercurius'un elinde çekişmeyi başlatan altın elma var.

venus   Juno   pallas

mexure

Paris

BIBLIOTHÈQUE IMPÉRIALE
MSS.

Comment paris expofa au
Roy priam fon fonge Et
Dont me vint en
aulfion que pre
fent moy eftoit

la vifion et promneffe de
la deeffe venus
a moye pour en determiner
felon ce que tu verras leur
droit eftre apparant par

THE TREE OF DEATH.

But a corrupt tree bringeth forth evil fruit. St Mat.VII.17.   Cut it down, why cumbereth it the ground ? St.Luke.XII.7

SOLDA Hıristiyan geleneğinde elma ilk günahı ve dolayısıyla ölümü simgeler. Bu çizimde metafor genişletilerek, her elmaya somut bir günah yakıştırılmış. YUKARIDA Atalanta altın elmaları almak için durunca, Hippomenes'le girdiği yarışı kaybeder.

Bal

Antik Yunanlar için bal, tanrılarla sıkı sıkıya ilişkilidir ve bilginin simgesidir. Çocukken balla beslenmenin kahraman Akhilleus'a büyük hitabet gücü kazandırdığı söylenir.

Eski Ahit balın tatlı ve keyif verici oluşuna işaret eden göndermelerle doludur; Kur'an'ın "Nahl" ("Bal Arısı") suresinde bal "insanlar için deva" olarak nitelendirilir. Hinduizmde bal tapınmada veya adak sunmada kullanılır. Buda'nın inzivaya çekildiği sırada, bir maymunun onu yaşatmak için bal getirdiğine dair bir hikâye de vardır.

Mayalar da balın tanrısal bir besin olduğuna inanırdı. Ah-Muzen-Cab adlı bir Maya tanrısı özel olarak arıcılıkla ve balla ilgilenir.

AŞAĞIDA Bakkhos'un (sağ ön tarafta) balı keşfetmesi, uygarlığa giden uzun yolda bir adımdır. SAĞDA Cupido tatlı balı elde etmek için arının iğnelerine katlanmak gerektiğini kavrıyor – sevdalanmaya azıcık benzeyen bir tecrübedir bu.

7

KAHRAMANLAR
IIIIIIIIIIIIIIIIIIIIIIIIIIIIIIIIIIIIIIIIIIIIIIIIIIIII

E rkek ya da kadın kahraman figürü bütün mitolojilerde temel yer tutar. Bazen insan, bazen de tanrı kahramanlar canavarlarla boğuşur ve tehlikeli maceralara atılır; mücadele ve tehlike hikâye için temel önemdedir ve çoğu kahraman maceranın sonunda biraz daha akıllanır. Antik Yunanlara göre, Altın, Gümüş ve Tunç çağlarından sonra gelen Kahramanlık Çağı insan varoluşunun dördüncü aşamasıdır. Bu kudretli karakterler önceki dönemden kalma kaos unsurlarının üstesinden gelmeye hizmet eder; sistem çatışmasının klasik bir örneği, kahramanın kötü canavar Grendel, onun annesi ve bir ejderhayla amansızca dövüştüğü Anglosakson *Beowulf* destanıdır.

Bu her kahramanın Beowulf, Herakles ya da Thor gibi kılıç, topuz ve balta kuşanıp sürekli savaşla uğraştığı anlamına gelmez. İsa Mesih ve Buda gibi birçok önemli figür gelenekçiliğe kafa tutma ve baştan çıkarıcı dürtüleri aşma anlamında kahramandır. Bazı kahramanlar ise halklarını canavarlardan değil, kölelikten kurtarır; Musa'nın yaptığı budur.

Mitoloji uzmanı Joseph Campbell kahramanlık hikâyesinin şu üç temel unsurunu saptar: "Yola çıkış" (macera dürtüsü; doğaüstü yardım; ilk eşiği aşma), "olaya giriş" (çile yolu; baştan çıkarıcı kadın; babanın gönlünü alma) ve "dönüş" (büyülü kaçış; dışarıdan yardım almadan kurtuluş; dönüş eşiğini aşma; her iki dünyayı tam anlama). Ona göre, bu kalıp, başka önemli figürlerin yanı sıra İsa Mesih, Buda ve Musa'nın hayatlarında bulunabilir.

Kahramanlık hikâyeleri sahiden de bir kalıba bağlıymış gibi görünür. Örneğin, kahramanlar genellikle olağandışı şekilde doğar ya da bir tanrısal ebeveynden dünyaya gelir: Herakles, Zeus'un oğludur; İsa bir bakireden doğmuştur. Gılgamış üçte iki oranında tanrısal diye tarif edilir; annesi bir tanrıça, babası ise yarı-ölümlüdür. Fin *Kalevala* destanının başta gelen figürü Väinämöinen ilk başta bir tanrıdır; ama aradan geçen yıllarla bir kahraman rolüne bürünür.

Çoğu kez kahramanlar ilk tehlikeyle küçük yaşta karşılaşır. Musa firavunun kıyımına uğramaması için Nil'e bırakılır; Mesih zalim Herod tarafından öldürülmemek için Mısır'a kaçar; Herakles onu öldürmek isteyen Hera'nın gönderdiği iki yılan tarafından tehdit edilir (ve onları boğar). İran kahramanı Rüstem daha küçük bir çocukken azgın bir beyaz fili öldürür. Gılgamış (hikâyenin sonraki versiyonlarının anlatımına göre) bebekken bir kuleden aşağı atılır, ama bir çiftçi tarafından kurtarılıp büyütülür. Siegfried bir demirci tarafından bulunup yetiştirilir. Theseus'un olayında, kayıp babası sandaletlerini ve kılıcını bir taşın altına bırakmıştır; Theseus ancak taşı kaldıracak güce eriştiğinde yolculuğuna başlamaya hazır olur.

ÖNCEKİ SAYFA *İran kahramanı Rüstem verilen yedi görevin sonuncusunda Beyaz Cin'i öldürüyor.* SOLDA *Kahraman Kadmos ejderhayı mızrağıyla öldürüyor.* YUKARIDA SOLDA *Herakles Geras'ı ("Yaşlılık") kovalıyor.* YUKARIDA *Bir dağ cadısınca yetiştirilen Japon kahramanı Kintaro.*

በሩታዌት፡

ዛራ፡ገንን፡አደ

Kahraman figürleri aynı zamanda erken gelişmiş bir kişilik taşır. Mesih daha on iki yaşındayken tapınakta yaşlılarla din meselelerini görüşür. Akhilleus, ayrıca İason, Aias ve hatta belki Herakles akıllı *kentauros* Khiron'dan ders alır. Anlaşıldığı kadarıyla Herakles'in müzikte ustalaşmaması, kendisine hatalarını söyleyen hocası Linos'u öldürmesi yüzündendir.

Herakles'in gücü kahramanların başka bir alametidir; onları ayırt eden bu özelliği sergilemeye sıkça çağrılırlar. Rama, tanrı Şiva'nın devasa yayını çekerken, genç Arthur kayaya sıkıca saplanmış kılıcı yerinden çıkarır. Rüstem imkânsız görülen yedi görevi yerine getirir; Herakles ise ilk başta on görevle yükümlü kılınır, ama iki görevi daha yardımla yerine getirdiği için sayının on iki olduğu söylenir. Mesih'ten kendini kurban etmesinin istenmesinde olduğu gibi, bazen kahramanın gücü manevidir.

Bazı kahramanların yardımcıları vardır. Sözgelimi, Gılgamış'a neredeyse bir kardeşi haline gelen tuhaf, hoyrat, vahşi Enkidu eşlik eder. Herakles'e özellikle Lerna Suyılanı'nı alt etmesinde, yeğeni İolaos yardımcı olur; bu olayda Herakles'in başları kestiği sırada İolaos boyunları dağlar.

Kahramanlara tanrılardan daha rahat ulaşılır. Yunanların gözünde, Herakles ve Perseus tartışmasız yaşamış kişilerdi; hatta Büyük İskender, tarihsel bir figür olduğu pek söylenemeyecek Akhilleus'un soyundan geldiğini ileri sürecekti. Musa da Yahudiler, Hıristiyanlar ve Müslümanlar için gerçek bir tarihsel figürdür. Bazıları Kral Arthur'un Sakson istilacılara karşı Britanya Adaları'nın ilk savunucularından biri olduğuna inanır. Sümer kenti Uruk'un İÖ 3. binyılda yaşamış gerçek bir kralı olan Gılgamış, Mezopotamya mitolojisinde kentin gedik açılamaz surlarını yaptıran bir yarı-tanrı olarak hatırlanır. Aynı şekilde Theseus da Atina'nın kuruluşuyla ilişkilendirilir.

Kahramanlar her zaman onurluca davranmaz. Rama karısına yersiz bir kuşkuyla davranır (ve sonra pişman olur); Theseus, Ariadne'yi bir adada yüzüstü bırakır; Herakles bir delilik nöbetinde karısını ve çocuklarını öldürür; İason bir prenses uğruna Medea'yı terk eder. İason'un hazin sonu (*Argo*'nun kıç tarafında uyurken üstüne düşen bir tahta parçasıyla can verişi) sonuçta kahramanların çoğu kez insanlarla aynı talihsizliklere maruz kaldığını anlatır bize.

SOLDA Aziz Georgios'un bir kente dehşet saçan ejderhayı öldürüşüne ilişkin bir Etiyopya tasviri. YUKARIDA Akıllı kentauros Khiron'un Akhilleus'a ok ve yay kullanmayı öğretişi.

Mucizevi Doğumlar

Birçok kahraman tanrısal soydan gelir. Theseus'u (annesiyle aynı gece yatan) Poseidon'un ya da Aigeos'un döllediği, Herakles'in babasının Zeus olduğu söylenir. Bazı önemli gebelikler habercilerce bildirilir. Buda'nın annesi ona gebe kalırken, beyaz filin yer aldığı bir rüya görür; doğumunun bir ağaç altında olması ise daha sonraları kutsal incir ağacı altında meditasyona girmesinin işareti sayılır.

İran tanrısı Mithras'ın bir kayadan doğduğuna, Herakles'in İran'daki karşılığı Rüstem'in ise rahimde büyümeye devam etmesinden dolayı, sezaryenle doğduğuna inanılır.

Meryem'e görünen baş melek Cebrail, Mesih'e gebe kaldığını bildirir; buna karşılık dünyayı kurtaracak çocuğun son derece sıradan doğumu bir ahırda gerçekleşir. Dünyevi babasının Kral Davut soyundan gelen Yusuf oluşu, daha önceki bir kahraman figürüyle bir bağ sağlar.

SOLDA *Roma İmparatorluğu'nun her tarafında tapılan İran tanrısı Mithras'ın bir kayadan doğduğu söylenir.* YUKARIDA *Theseus mitinin bazı versiyonlarına göre, onu dölleyen Poseidon'dur.* SAĞDA *İsa, Tanrı'nın oğlu olmasına karşın, bir ahırda doğar.* SONRAKİ SAYFALARDA *Buda'nın bir kraliçe olan annesi bir sal ağacının altında doğum yapar (solda). Rüstem sezaryenle doğar; onu diğer ölümlülerden (sağda) ayırt eden son derece olağandışı bir olaydır.*

Canavar Hasımlar

Canavarlar kahramanlık masallarında temel önemde bir yer tutar; kahramanın hukuk ve düzeni geri getirmek için alt etmesi gereken kaos güçlerini temsil eder. Kaostan yana oluşları fiziksel görünümlerinden bellidir; hemen hepsi başka yaratıkların karması biçimindedir.

En heybetli canavarlar herhalde ejderhalardır. İason, Perseus, Thor, Kadmos, Aziz Georgios ve Herakles arayışlarını tamamlamak ya da dünyayı kötülükten kurtarmak için ejderhalarla ya da ejderha türünde yaratıklarla boğuşmaya mecbur kalır. Bazı kahramanların daha tuhaf hasımları vardır: Theseus, Minotauros'la çarpışırken, Gılgamış akrep-insanlarla karşı karşıya gelir. Gılgamış'ın başka bir hasmı, bir aslanı andırmakla birlikte, bağırsaklar gibi tek bir kangaldan oluşmuş yüze sahip Humbaba'dır.

Cinler neredeyse aynı sıklıkla görülür. Japon cinleri (*oni*) lanetlileri cezalandıran Hıristiyan karşılıkları gibi, demir sopalarla cehennemi dolaşır. *Kitabı Mukaddes*'in *Vahiy Kitabı* azman bir hayvan biçimine bürünmüş İblis ile Aziz Mikael arasında muazzam bir nihai çarpışmayı bildirir. Hindu tanrıçaları Durga ve Kali de Mahişasura gibi cinlerle savaşır.

Canavarlar "öteki"ni, meçhulü de temsil edebilir; insan için en büyük bilinmeyen bugün bile denizlerdir. Odysseus dar bir boğazdan geçişe bekçilik eden altı başlı Skylla'dan sakınmak zorunda kalır; *Kitabı Mukaddes* belki de en büyük deniz canavarı Leviathan'ı tasvir eder.

SOLDA *(saat yönünden üstten sola doğru) Bir harpia, bir dev, bir grifon ve bir keçi tanrı. Ortada ise sırtında keçi başı bulunan bir aslan biçimindeki, ateş soluyan Khimaira yer alıyor.* YUKARIDA *Kadmos'un adamlarından birinin azgın bir ejderha tarafından öldürülüşü.*

SOLDA İskandinav mitolojisinde hem devler hem de cüceler önemli figürlerdir.
SAĞDA Blake'in Vahiy Kitabı'na dayanarak yaptığı "Büyük Kızıl Ejderha" resmi.

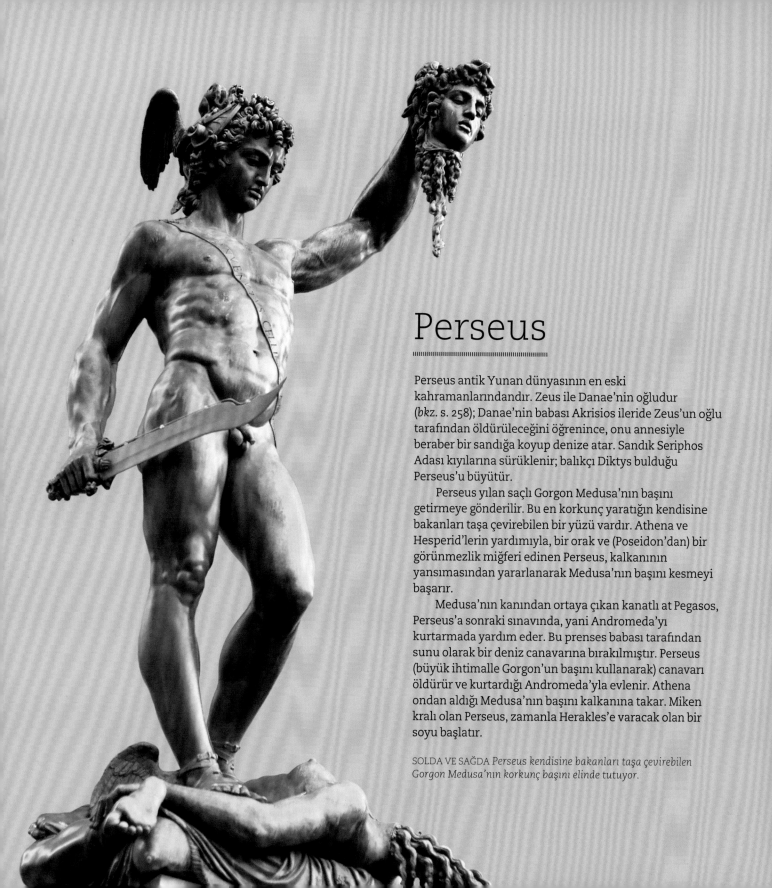

Perseus

IIIIIIIIIIIIIIIIIIIIIIIIIIIIIIIIIIIIIIIIIIIIIIIIIIIII

Perseus antik Yunan dünyasının en eski kahramanlarındandır. Zeus ile Danae'nin oğludur (bkz. s. 258); Danae'nin babası Akrisios ileride Zeus'un oğlu tarafından öldürüleceğini öğrenince, onu annesiyle beraber bir sandığa koyup denize atar. Sandık Seriphos Adası kıyılarına sürüklenir; balıkçı Diktys bulduğu Perseus'u büyütür.

Perseus yılan saçlı Gorgon Medusa'nın başını getirmeye gönderilir. Bu en korkunç yaratığın kendisine bakanları taşa çevirebilen bir yüzü vardır. Athena ve Hesperid'lerin yardımıyla, bir orak ve (Poseidon'dan) bir görünmezlik miğferi edinen Perseus, kalkanının yansımasından yararlanarak Medusa'nın başını kesmeyi başarır.

Medusa'nın kanından ortaya çıkan kanatlı at Pegasos, Perseus'a sonraki sınavında, yani Andromeda'yı kurtarmada yardım eder. Bu prenses babası tarafından sunu olarak bir deniz canavarına bırakılmıştır. Perseus (büyük ihtimalle Gorgon'un başını kullanarak) canavarı öldürür ve kurtardığı Andromeda'yla evlenir. Athena ondan aldığı Medusa'nın başını kalkanına takar. Miken kralı olan Perseus, zamanla Herakles'e varacak olan bir soyu başlatır.

SOLDA VE SAĞDA *Perseus kendisine bakanları taşa çevirebilen Gorgon Medusa'nın korkunç başını elinde tutuyor.*

AŞAĞIDA *Perseus* korkunç deniz
canavarının elindeki *Andromeda*'yı
kurtarır. SAĞDA *Perseus*'un annesi,
altın sağanağı görünüşüne bürünen
Zeus'un baştan çıkardığı *Danae*'dir.

Hikâyenin bazı
versiyonlarında,
Perseus deniz
canavarını alt etmek
için kanatlı at
Pegasos'a biner.

Theseus

Annesinin kendisine gebe kaldığı gece iki kişiyle yatmasından dolayı, Theseus'un babası ya Atina kral Aigeos ya da onun kılığına girmiş Poseidon'dur. Öyle ya da böyle, Aigeos sandaletlerini ve kılıcını bir taşın altına saklar; çocuğun taşı kaldıracak kadar büyüdüğünde gelip kendisini kurtarmasını umar.

Theseus Atina'ya giderken yolda çeşitli canilerle ve haydutlarla karşılaşır. Bunlardan Prokrustes, misafirlerini demir yatağına sığdırmak için germe ya da kesme yoluna gider; Sinis insanları çam ağaçlarıyla ikiye ayırır; Skiron ayaklarını yıkattığı kurbanlarını daha sonra bir uçurumdan aşağı yuvarlar. Theseus hepsini kendi yöntemleriyle haklar. Atina'ya vardığında Aigeos onu tanıyamaz; hemen tanıyan Medea ise zehirlemeye çalışır.

Theseus'la ilgili en meşhur hikâyenin konusu Minotauros'tur. Atina yarı-insan, yarı-boğa Minotauros'un beslenmesi için her yıl Girit'e yedi erkek ve yedi kız çocuk göndermektedir. Theseus onların arasında yer almaya gönüllü olur; Girit'e vardığında Kral Minos'un kızı Ariadne ona âşık olur ve Minotauros'un yaşadığı labirentten kaçmasına yardımcı olacak bir yumak verir. Theseus canavarı öldürdükten sonra, Ariadne'yle birlikte kaçar. Ne var ki, masal trajediyle son bulur. Theseus dönüş yolunda o heyecanla gemisindeki yelkenin rengini siyahtan beyaza çevirmeyi unutur. Aigeos siyahı oğlunun öldüğünün bir işareti sanarak denize atlar; bu yüzden deniz artık onun adıyla, Ege olarak anılır.

YUKARIDA *Theseus'un başardığı işler. Ortada Theseus ölü Minotauros'u labirentten taşıyor; çeperde Theseus'u Sinis, Krommyon Domuzu, Kerkyon, Prokrustes ve Skiron'la birlikte görürüz.*
SAĞDA *Theseus'un taşı kaldırıp babasının sandaletlerini ve kılıcını bulması.*

Herakles

Herakles (Roma mitolojisinde Hercules) ilkörnek kahraman, ayrıca Yunan ve Roma erkek kuşakları için bir rol modelidir. Zeus ve Alkmene'nin oğlu olmasından dolayı yarı-ölümlüdür; doğuştan insanüstü güce sahiptir. Bazen sakin olmasına karşın, müzik hocasını ve ilk karısı ile çocuklarını öldürmesinde görüldüğü gibi, tepesinin attığı zamanlar da olur.

Herakles (muhtemelen ailesini katletmesinin kefareti olarak) Kral Eurystheus'un belirlediği on iki imkânsız işi başarmasıyla tanınır daha çok. Bazı görevleri Nemea Aslanı, Lerna Suyılanı ve pirinç gagalı Stymphalis Kuşları gibi azgın doğaüstü yaratıkları öldürmeye dayanır. Keryneia Geyiği, Erymanthos Yabandomuzu, Girit Boğası ve Hades'in bekçisi Kerberos'la ilgili görevlerinde ise bu yaratıkları canlı getirmesi gerekir. Diğer işlerde Herakles'ten dağılmış hayvanları (Diomedes'in Kısrakları ve Geryoneses'in Sığırları) toplaması, pis Augias ahırlarını temizlemesi, Hippolyta'nın Kemeri'ni çalması ve Hesperid'lerin Elmaları'nı koparması istenir.

Herakles bu görevlerden bazılarını kaba güçle başarırken, cingözlüğünü de sergiler. Örneğin, ahırları yakındaki bir nehrin sularını saptırıp oradan geçirerek temizler. Yerine göğü tutmak şartıyla, Atlas'ı gidip Hesperid'lerin Elmaları'nı kendisine getirmeye ikna eder.

Herakles'in maceraları bununla da bitmez. Başka mitler İason'un Argonaut'larına katılışını, Prometheus'a azap çektiren kartalı okla vurup öldürüşünü ve dev Antaios'u boğuşunu anlatır.

Herakles'in ölümü beklenmedik bir yerden gelir. Önceki bir olayda *kentauros* Nessos'u Lerna Suyılanı'nın zehirli kanına batırdığı bir okla vurmuştur. Nessos can çekişirken, Herakles'in karısına kendi kanını Herakles'in sadık kalmasını sağlamak için kullanabileceğini söyler. Çok sonraları karısının Nessos'un kanı bulanmış bir gömleği vermesi Herakles'in zehirlenmesine yol açar. Herakles kalan son gücüyle kendi cenaze ateşini hazırlar; ölümlü tarafı yok olunca, Olympos'a çıkar.

SOLDA *Herakles, Hephaistos'un insan eti yiyen korkunç oğlu Cacus'u öldürüyor.*
YUKARIDA *Bebek Herakles bir yılanı boğuyor.* AŞAĞIDA *Herakles (soldan sağa) Nemea Aslanı, Lerna Suyılanı, Erymanthos Yabandomuzu, Keryneia Geyiği, Stymphalis Kuşları, Hippolyta'nın Kemeri, Augias ahırları, Girit Boğası ve Diomedes'in Kısrakları'yla birlikte.*

SOLDA Atlas kendi
kızları olan
Hesperid'lerin
Elmaları'nı
çalarken, Herakles
göğü tutuyor.
SAĞDA Herakles
ikinci görevinde
Lerna Suyılanı'nı
öldürüyor.

SOLDA Herakles, Poseidon'un oğlu deniz tanrısı Triton'la güreşiyor. YUKARIDA
Herakles üçüncü karısı Deianeira'yla birlikte. Hilesi kahramanın can vermesine
yol açacak olan ölü kentauros Nessos yerde yatıyor.

Kral Arthur

Kral Arthur olarak bildiğimiz kişinin tarihte yaşadığı kanıtlanmış olmasa da, bazı uzmanlar büyük ihtimalle Britanya Adaları'nı Sakson istilacılara karşı savunan bir Roma-İngiliz önderi olduğu kanısındadır. Arthur mitolojisindeki çoğu klasik hikâye (Camelot, Merlin, Gölün Hanımı ve Kutsal Kâse) ilk kez 12. yüzyılda yazıya geçirilmiştir.

Bu anlatımlara göre, Arthur'un babası kılık değiştirerek düşmanının karısını baştan çıkaran Uther Pendragon'dur. Uther'in meşru bir vâris bırakmadan ölmesine karşın, Arthur onun kılıcını saplandığı taştan çıkarabilen tek kişi olarak taht üzerindeki hakkını kanıtlar.

Kral Arthur'un Camelot adlı şatosunda etrafına topladığı Gawain ve Lancelot gibi müstesna şövalyeler, eşitlik simgesi olarak ünlü Yuvarlak Masa'da oturur.

Arthur son çarpışmasını yokluğunda karısıyla evlenen Mordred'le yapar. Camlann adlı yerdeki bu çarpışma her ikisinin de ölümüne yol açar.

YUKARIDA Arthur'a taç giydirme törenini (solda) ve onu şövalyelerinden biriyle gösteren sahneler. SAĞDA 15. yüzyıla ait bu tasvirde, Arthur çok sevdiği Camelot'a dönerken görülüyor.

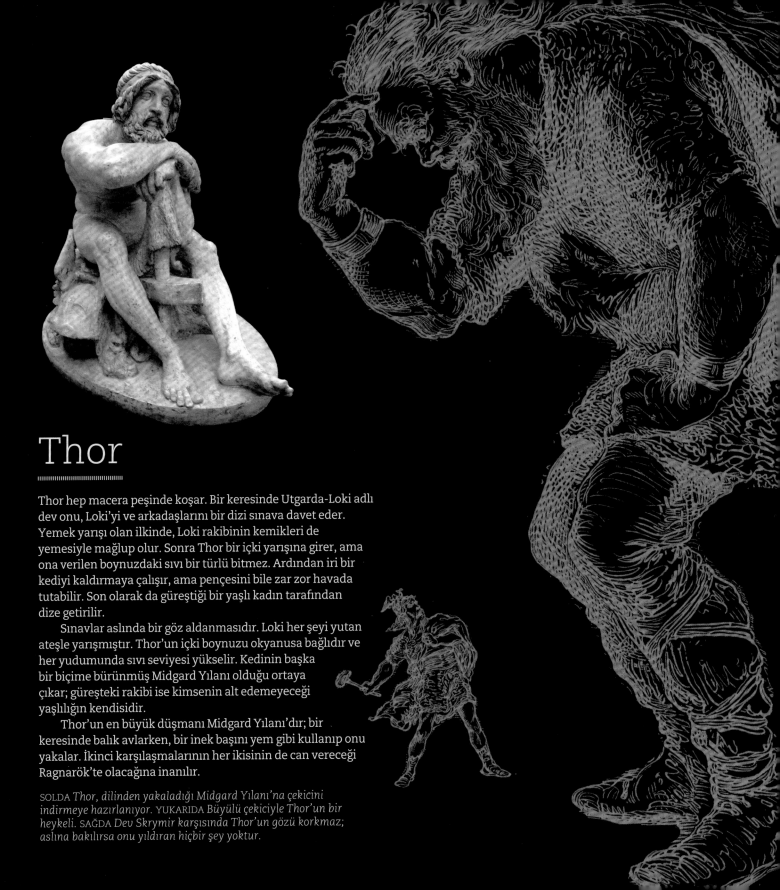

Thor

||||||||||||||||||||||||||||||||||||||

Thor hep macera peşinde koşar. Bir keresinde Utgarda-Loki adlı dev onu, Loki'yi ve arkadaşlarını bir dizi sınava davet eder. Yemek yarışı olan ilkinde, Loki rakibinin kemikleri de yemesiyle mağlup olur. Sonra Thor bir içki yarışına girer, ama ona verilen boynuzdaki sıvı bir türlü bitmez. Ardından iri bir kediyi kaldırmaya çalışır, ama pençesini bile zar zor havada tutabilir. Son olarak da güreştiği bir yaşlı kadın tarafından dize getirilir.

Sınavlar aslında bir göz aldanmasıdır. Loki her şeyi yutan ateşle yarışmıştır. Thor'un içki boynuzu okyanusa bağlıdır ve her yudumunda sıvı seviyesi yükselir. Kedinin başka bir biçime bürünmüş Midgard Yılanı olduğu ortaya çıkar; güreşteki rakibi ise kimsenin alt edemeyeceği yaşlılığın kendisidir.

Thor'un en büyük düşmanı Midgard Yılanı'dır; bir keresinde balık avlarken, bir inek başını yem gibi kullanıp onu yakalar. İkinci karşılaşmalarının her ikisinin de can vereceği Ragnarök'te olacağına inanılır.

SOLDA *Thor, dilinden yakaladığı Midgard Yılanı'na çekicini indirmeye hazırlanıyor.* YUKARIDA *Büyülü çekiciyle Thor'un bir heykeli.* SAĞDA *Dev Skrymir karşısında Thor'un gözü korkmaz; aslına bakılırsa onu yıldıran hiçbir şey yoktur.*

Gılgamış

Gılgamış dünyanın 3500 yılı aşkın geçmişe tarihlenen en eski destanında karşımıza çıkar. Uruk kentinden gelen biri olarak tarif edilir ve kişiliği muhtemelen gerçek bir krala dayanır.

Destandaki anlatıma göre, Gılgamış cesur bir savaşçıdır, ama çapkınlığı yüzünden tanrılar, hayvana benzer Enkidu'yu ona yol arkadaşı olarak gönderir. İkilinin ilk zorlu görevi Enlil'in kutsal Sedir Ormanı'na bekçilik eden canavar Humbaba'yı öldürmektir. Ardından cilvelerine yüz vermemesine kızan tanrıça İnanna'nın (İştar) gönderdiği güçlü Gök Boğası'nı kılıçtan geçirir. Tanrılar da misilleme olarak Enkidu'yu öldürür.

Bu olayla yıkılan Gılgamış, ölümü alt etmek için yeraltına iner. Girişi koruyan iki akrep-insanı atlatır ve buluştuğu Siduri'nin yardımıyla yeraltı nehrini aşar. Öbür yakada tufandan sağ kurtulan Utnapiştim'le (bkz. s. 99) karşılaşır.

Gılgamış ona sonsuz yaşamın sırrını sorar. Ancak kendisinden istendiği gibi altı gece uyanık kalmayı başaramayınca ölümlü olduğunu anlar. Buna rağmen Utnapiştim'in kendisine bildirdiği gençlik iksirinin kaynağı bitkiyi getirse de, bitki yılanlar tarafından çalınır. (Yılanların deri değiştirmeleri bu olayla açıklanır). Gılgamış sonunda ölümlülüğünü kabullenerek Uruk'a döner.

SOLDA Gılgamış'ın hasımlarından Humbaba'nın bağırsak kangalını andırdığı söylenen yüzü. SAĞDA Gılgamış bir kanatlı güneş kursunu tutan iki boğa-adam arasında.

Sigmund
ile Siegfried

Baba oğul Sigmund ile Siegfried, Germen ve İskandinav mitolojisinin en büyük kahramanlarıdır. Her ikisinin önemli yer tuttuğu 13. yüzyıldan kalma *Volsunga Saga* ve *Nibelungenlied* destanı, Wagner'in ünlü opera dizisi *Nibelung Yüzüğü*'ne ilham kaynağı olmuştur.

Odin'in soyundan gelen Sigmund, bu bağı bir ağaca saplanmış Gram kılıcını çekip çıkarmakla kanıtlar. Bu kılıç daha sonra Sigmund'un yanlışlıkla Odin'e saldırmasıyla parçalanır ve kalan parçalar Siegfried (İskandinav dillerinde Sigurd) için korunur. Siegfried'le bağlantılı en önemli efsanelerden biri babalığı Regin ve onun kardeşi Fafnir üzerinedir. Fafnir lanetli hazineyi miras aldıktan sonra bir ejderhaya dönüşür. Odin ejderhayı öldürmeye karar veren Siegfried'e, dökülecek kanı toplamak üzere bir hendek kazmasını öğütler.

Siegfried ejderhayı Gram kılıcıyla biçer ve Fafnir'in kanında yıkanarak yenilmezliğe kavuşur. Kandan biraz içince, kuşların dilinden artık anlayabildiğini fark eder; onlardan Regin'in kendisini öldürmeye niyetlendiğini öğrenir. Regin'i öldürdükten sonra kalbini yemesi, ona kehanet yeteneğini kazandırır.

SAĞDA Siegfried'in ejderha Fafnir'i öldürüşü. KARŞI SAYFA Solda yer alan Sigurd'un (Siegfried) yeni onarılan kılıcı denerken kırışı.

8

ARAYIŞLAR,
IIIIIIIIIIIIIIIIIIIIIIIIIIIIIIIIIIIIII
YOLCULUKLAR
IIIIIIIIIIIIIIIIIIIIIIIIIIIIIIIIIIIIIIIIIII
VE DESTANLAR
IIIIIIIIIIIIIIIIIIIIIIIIIIIIIIIIIIIIIIIIIII

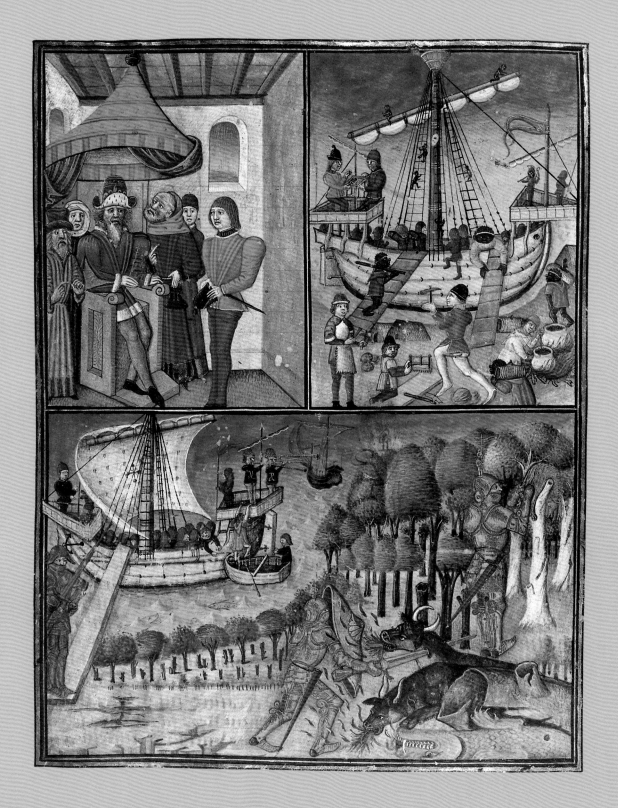

M itolojik destanların ilk kez İÖ 3. binyıl sonlarında yazıya geçirilmiş *Gılgamış Destanı*'na kadar inen uzun bir tarihi vardır. O zamandan beri birçok farklı kültür kendi destanını yaratmıştır: *İlyada* ve *Odysseia*, *Ramayana*, *Mahabharata*, *Nesir Edda* ve *Manzum Edda*, *Beowulf* ve *Kalevala*. Bunların hepsi mitolojinin dayanakları olduğu gibi, tanrılara, tanrıçalara ve hatta gündelik yaşama ilişkin bilgilerin merkezi önemde kaynaklarıdır. Metinler bazı durumlarda örtük dinsel mesajlar içerse de, daha sıklıkla sırf hikâyeler anlatır.

Bazı destanlar kuruluş mitleriyle ve ulusallık kavramlarıyla ilişkilendirilebilir. *Eski Ahit*'te anlatılan şekliyle, İbranilerin Mısır'dan çıkış ve ardından çölde dolanış hikâyesi İsrail'in kökeniyle bağlantılıdır. Yerel halk masallarının ve yerli mitolojilerin 19. yüzyılda derlenmesiyle ortaya çıkan *Kalevala* adlı kitap, Fin ulusuna bir kimlik duygusu vermeye katkıda bulunmuştur. *Nibelungenlied* dizisi Alman Germen kültürü için temel önemdedir. Troya'nın düşüşünden sonra Troyalı kahraman Aineias'ın akıbetini anlatan (ve Romalı şair Vergilius tarafından İÖ 1. yüzyılda yazılan) *Aeneis*, esasen Roma'nın kuruluşuna ve halkının kökenine ilişkin bir açıklama sunar.

Bu destanlardan bazıları belirli bir nesneye ya da güce, özellikle sonsuz yaşam sırrına ya da Kutsal Kâse hikâyesinde olduğu gibi manevi aydınlanmaya dönük arayışları konu alır. Çin destansı romanı *Batıya Yolculuk* Hindistan'daki temel Budist metinlerini bulma çabasını belgeler; Yunan mit kahramanı İason ise Altın Post peşinde yolculuk eder.

En büyük Sanskrit destanlarından *Mahabharata* iki aile, Pandava'lar ve Kaurava'lar arasındaki kavgayı anlatır. Dünyanın bu en uzun destan şiiri son biçimini muhtemelen İS 4. yüzyılda almıştır. *İlyada*'da görüldüğü gibi, Yunan tanrıları her iki tarafta çarpışan karakterlerle ilişkilidir, taraf tutarlar ve ara sıra saf değiştirirler. Troya Savaşı'nda Poseidon gibi tanrılar bir süre savaş alanında boy gösterdikten sonra, Zeus'un emriyle çekilirler.

Büyü çoğu kez mitolojik arayışlara bir şans unsuru katar. Kirke ve Medea, tılsımlarıyla Yunan kahramanlarına hem destek hem de köstek olur; Japon, Çin ve

ÖNCEKİ SAYFALARDA *Rama'nın ve Lanka kralının orduları arasındaki çarpışma.* SOLDA *Altın Post'u geri getirmekle görevlendirilen İason'un hikâyesi.* YUKARIDA *Akhilleus, Amazon kraliçesi Penthesilea'yla dövüşüyor.*

İrlanda mitolojilerinde zaman yolculuğundan söz edilir. Ovidius'un *Metamorphoseon* adlı eseri büyülü dönüşümlerin, ansızın ortaya çıkışların ve kayboluşların bir kataloğudur (*bkz. s. 248*).

Arayışların ve destanların kahramanları hemen her zaman erkektir; ancak bazen kadınların belirleyici bir rol oynadığı olur. Troya Savaşı'nın kıvılcımını Paris'in Helena'ya sevdalanması tutuşturur; Odysseus'un yolu baştan çıkarıcı kadınlar tarafından sürekli kesilir. Rama kaçırılan karısının peşine düşer; nihayet bulduğunda, onu sadık kaldığına inandırmak isteyen karısı yakılacak bir odun yığınına atlar. *Batıya Yolculuk*'taki karakterler kadınlar tarafından yönetilen bir ülkeden geçer; yazarın kafasında doğal düzenin açık bir tersine dönüşüdür. Herakles dişi Amazonlarla dövüşür. İason ve Argonaut'lar Lemnos (Limni) Adası'na varınca, kadınların kocalarını öldürmüş olduğunu görür.

Odysseus'un on yılı bulan gezileri sırasında rastladığı adalar, uzak mesafeli yolculuğun çok daha seyrek olduğu bir dönemde yabancı ülkelerin "ötekiliğini" yansıtır. Plinius'un daha sonraları Hindistan ve Etiyopya gibi yerlerde "canavar soyları"nın bulunduğunu anlatışında olduğu gibi, destansı yolculuklar hayal gücünün uçmasına bir fırsat sunar. Örneğin, *Batıya Yolculuk*'ta dört kahraman garip ülkelerden geçer ve aykırı düşmemek için tuhaf âdetlere uyum sağlamak zorunda kalır.

Gelgelelim, belki de en uç yolculuk hedefi yeraltı diyarıdır. Orpheus, Gılgamış, Maya Kahraman İkizleri ve Mesih gibi çeşitli kahramanlar oraya yolculuk eder. Hepsi canlılar diyarına yeni bir bilgi ya da yetenek edinmiş olarak döner ve hatta birkaçı bizzat ölümü alt etmeyi başarır.

YUKARIDA Kitabı Mukaddes'in Mısır'dan Çıkış Kitabı'ndaki en dramatik an: *Kızıldeniz sularının firavun askerlerini yutuşu.* SAĞDA Oidipus gözünü *dosdoğru karşısındaki Sfenks'e dikmiş halde, bu canavarın sorduğu bilmeceye kafa yoruyor.*

Büyülü Silahlar

Bir arayışa giren kahramanlar için büyülü silahlar temel önemdedir. Kral Arthur çeliği Avalon Adası'nda dövülen ve Gölün Hanımı tarafından verilen Excalibur adlı kılıcı kullanır; Germen kahramanı Sigmund ağaca saplı bir kılıcı çekip çıkarır.

Batıya Yolculuk'ta Maymun Kral, boyutları değişebilen bir büyülü demir çubuk taşır. Doğu Denizi'nin Ejderha Kralı'ndan aldığı bu çubuğu birkaç ton ağırlığında olmasına karşın, kulağının arkasında tutabilir. Thor'un gök gürlemesine yol açan ve dağları yıkma gücünü taşıyan çekici Mjölnir minyatür hale de getirilebilir. Odin'in tercih ettiği silah Gungnir adlı mızraktır: Cücelerce yapılmıştır ve her zaman hedefini bulur. Japon deniz ve fırtına tanrısı Susanu, bir hayvanın kuyruğunda bulduğu Kusanagi adlı kılıcı rüzgârlara hükmetmek için kullanır.

YUKARIDA Thor'un çekici Mjölnir biçiminde bir nazarlık. YANDA Batıya Yolculuk kitabında Maymun daima yanında büyülü demir çubuğuyla seyahat eder. SAĞDA Arthur kıyıda oturmuş olarak can verirken, Gölün Hanımı onun kılıcı Excalibur'u teslim alıyor.

vant gifles voit que
faire li couient · lire
uient arrier la que

İason

İason'la ilgili en harikulade mitler, Tesalya'daki İolkos kentinin kralı Pelias'ı ziyaret etmesiyle başlar. Kral tek ayakkabılı bir adamdan sakınması için uyarılmıştır ve İason da gelirken ayakkabılarından birini geçtiği çayda düşürmüştür. Pelias, Altın Post'u geri getirme göreviyle İason'u uzun ve tehlikeli bir arayışa göndermeye karar verir.

İason büyülü tekne *Argo*'yla yola çıkmak üzere bir grup adam toplar; tekneden dolayı "Argonaut'lar" olarak anılan bu toplulukta Herakles ve ikiz Kastor ile Polydeukes de yer alır. Kafile yolculuk sırasında sadece kadınların yaşadığı bir adaya, hırsızlık yapan bazı *harpyia*'lara ve içinden geçen bütün gemilerin taşlarla ezildiği uçurumlara denk gelir. Sonunda, şimdiki Gürcistan'da bulunan Kolkhis'e vardığında, oranın kralı Aietes üç görevi yerine getirmesi şartıyla Altın Post'u İason'a vermeyi kabul eder. Birincisi,

ateş soluyan öküzlerle bir tarlayı sürmektir. İkincisi, bir ejderhanın zamanla büyüyüp düşman askerlere dönüşen dişlerini dökmektir; İason onları birbirine düşürüp öldürtmenin bir yolunu bulur. Üçüncüsü, Altın Post'a bekçilik eden ejderhayı alt etmektir; Aietes'in büyücü kızı Medea, gönlünü kaptırdığı İason'a ejderhayı uyutacak bir iksir verir.

Medea'yla birlikte dönüş yolunda, İason başka bir büyücü Kirke'yi ve sirenleri atlatır. Girit'in yanından geçerken, gemiye devasa bir tunç adam saldırır; Medea onun kan kaybından ölmesini sağlar.

Sonraki yıllarda İason başka bir kadınla evlenmeye karar verir. Buna kızan Medea, yeni karısını ve çocuklarını öldürüp İason'u tek başına bırakır. Kahraman, sonunda *Argo*'nun çürümüş bir tahta parçasının başına düşmesiyle ölür.

YUKARIDA *Medea'nın ve Argonaut'ların eşlik ettiği İason, Altın Post'u aşağıya indiriyor. SAĞDA İason ve adamları Argo'nun güvertesinde.*

Troya Savaşı

Bir Yunan ordusunun şimdiki Türkiye'de bulunan Troya kentini kuşatmasıyla başlayan savaşa dair bilgilerimiz çeşitli kaynaklara dayanır. Bunların en önemlisi Homeros'un İÖ 8. yüzyılda yazdığı *İlyada*'dır.

Çatışma, Troya kralı Priamos'un en küçük oğlu Paris yüzünden başlar. Bu prens Aphrodite'yi en güzel tanrıça seçmesinin (*bkz. s. 270*) ödülü olarak verilen güzel Helena'yı, Sparta kralı Menelaos'la evli olmasına karşın kaçırıp Troya'ya götürür.

Helena'nın kaçırıldığını öğrenen Menelaos, daha önce birbirlerine yardım etmeye ant içmiş olan Yunanistan'ın diğer krallarını toplar. Aralarında Odysseus'un da bulunduğu topluluk, asla yaralanmayan acımasız Akhilleus'tan yardım ister. Yunanların Troya'ya yakın kumsalda ordugâh kurmasıyla, on yıl sürecek zahmetli kuşatma başlar.

Yunan ordugâhındaki gerginlikler üzerine, Akhilleus dönmeye karar verir. Ancak arkadaşı Patroklos Troya prensi Hektor tarafından öldürülünce, öcünü alana kadar kalmayı seçer.

Bir gün Troyalılar Yunan gemilerinin ayrıldığını ve kent kapılarının dışında kocaman bir tahta atın bırakıldığını fark eder. Troyalılar içinde Yunan askerleri bulunduğundan habersiz olarak, bir sunu sandıkları atı sürükleyip Troya'ya götürür. O gece askerler atın içinden çıkar, Troya kapılarını açar ve kent düşer. Ne var ki, izleyen çarpışmada Akhilleus vücudunun yaralanabilir tek kısmı olan topuğundan bir okla vurulup ölür. Menelaos'a dönen Helena zamanla bağışlanır. Savaştan sağ kurtulanlar yavaş yavaş memleketin yolunu tutarken, Odysseus'un yolculuğu bir on yıl daha sürer.

YUKARIDA Antik Gandhara krallığında bulunan bu kabartmada Troya Atı'nın sürüklenerek kente götürülüşünün tasvir edildiği neredeyse kesindir. SAĞDA Yunanların kenti ele geçirmesi üzerine, Troyalı Aineias ailesiyle birlikte kaçar.

YUKARIDA Troya Savaşı belki de Yunan mitolojisinin ana hikâyesidir ve Ortaçağ'da hayal güçlerine çekici gelmeye devam etmiştir. Bu yazmalarda Troya'nın kuşatılışı ve düşüşü görülüyor. SAĞDA Uzun ve sürüncemeli kuşatma, askerlere diledikleri gibi zaman geçirme fırsatını verir. Burada Aias ve Akhilleus zar oyunu oynuyor.

SOLDA Akhilleus'un annesi deniz tanrıçası Thetis, Patroklos'un ölümünden sonra oğlunu teselli ediyor. YUKARIDA Köle kız Briseis'i Agamemnon'a bırakmaya mecbur edilen Akhilleus, küplere biner ve çarpışmadan çekilir.

Odysseus

Homeros'un destansı şiiri *Odysseia*, Troya'nın düşüşünden on yıl sonra ortaya çıkar. Odysseus'un İthaka'daki evine ve çok sevdiği karısı Penelope'ye dönüşteki uzun ve olaylı yolculuğunu anlatır.

Odysseus ve adamlarının yelken açmasından kısa bir süre sonra, gemileri rüzgârla savrulup rotadan çıkar ve Lotos Yiyicilerin yaşadığı adanın sahiline vurur. Orada Odysseus'un iki adamı, yedikleri bir şeyle yurtlarını unutur. Başka bir olayda Odysseus tek gözlü Kyklops Polyphemos'a yakalanır. Onu kör edip kaçar (*bkz.* s. 269), ama Polyphemos'un babası Poseidon'un gazaba gelmesiyle, denizde on yıl geçirme lanetine uğrar.

Varılan sonraki adanın sahibi rüzgâr tanrısı Aiolos, dönüşüne yardım etmek için Odysseus'a rüzgâr dolu bir torba verir; ama yol arkadaşlarının torbayı açmasıyla hepsinin uçup gitmesi bir kez daha rotadan çıkmaya yol açar.

Kafilenin sonraki adalarda karşılaştığı Laistrygon adlı yamyam devler Odysseus'unki hariç bütün gemileri ele geçirir, cadı Kirke de bazı adamları hayvana dönüştürür. Dünyanın batı kenarına ulaşan Odysseus ölü annesinin ruhuyla konuşur, ardından (kendisini direğe bağlatarak ayartıcı şarkılarının etkisinden kurtulduğu) sirenleri, azman Skylla'yı ve girdap canavarı Kharybdis'i atlatır. Kısa süre kaldığı Thrinakia Adası'nda adamlarının Helios'un kutsal davarlarını yemesi yeni bir lanet getirir ve çok geçmeden bir gemi kazasında Odysseus dışında hepsi ölür.

Odysseus'un adasına çıktığı Kalypso adlı *nympha*, onu yedi yıl esir tuttuktan sonra ancak Hermes'in araya girmesiyle serbest bırakır. Bir sal yapan Odysseus yurdunun yolunu tutar. İthaka'ya vardığında, Penelope'yle evlenmeye niyetli kişilerin evini darmadağın ettiğini görür. Bir dilenci kılığına girip eski yayını alır ve bu talipleri öldürür. Böylece yirmi yıl uzak kaldığı evine nihayet kavuşur.

AŞAĞIDA *Odysseia'daki en ünlü sahnelerden biri: Odysseus gemisinin direğine bağlanmış halde, sirenlerin yanından geçiyor.*
SAĞDA *Kurnaz Odysseus (burada tek göz yerine üç gözlü gibi gösterilen) Kyklops Polyphemos'a şarap veriyor.*

SOLDA Odysseus
yolculuğu sırasında
yeraltına inerek,
kâhin Tiresias'la da
karşılaşır. SAĞDA
Odysseus'un yol
arkadaşlarını birer
hayvana dönüştüren
büyücü Kirke.

YUKARIDA *Odysseus büyücü Kirke'yle birlikte.* AŞAĞIDA
Odysseus'un genç prenses Nausikaa'yla karşılaşması. SAĞDA
*Taliplerinin kur yaptığı sadık Penelope dokuma tezgâhının
başında çalışıyor. Pencereden Odysseus'un gelişi görülüyor.*

330

Mısır'dan Çıkış

Yahudi mitolojisinde belki de en belirleyici an, İsrailoğullarının Mısır'dan sürülüşüdür. Oraya Yakup ve Yusuf dönemindeki ilk gidişlerinin sebebi Kenan'daki kıtlıktan kaçıştır. Dört kuşak sonra, İbrani nüfusunun artışından endişe duyan Firavun, bütün İbrani bebeklerinin öldürülmesi emrini verir. Bebek Musa bir sepet içinde Nil'e bırakılır, ama Firavun'un kızı tarafından bulunur ve kraliyet ailesi içinde büyür. Bir köle sahibini öldürdükten sonra kaçtığı çölde, Yanan Çalı aracılığıyla konuşan Tanrı ona kaderini bildirir.

Firavun'un İsrailoğullarının köleliğine son vermemesi üzerine, Tanrı on afet gönderir. Mısır hükümdarı pes etmez; ama ülkeden ayrılan İsrailoğullarının peşine düştüğünde, Musa mucizevi biçimde Kızıldeniz'i yararak, İbranilerin sağ salim geçmesini ve ardından tekrar kapatarak, takipteki Mısır askerlerinin boğulmasını sağlar.

Kitabı Mukaddes'e göre, kadınların ve çocukların yanı sıra 600 bin erkek Mısır'dan ayrılır. İsrailoğulları susuz kalınca, Musa bir kayaya vurup su çıkarır. Açlık çekildiğinde, Tanrı cennetten kudret helvası gönderir. Topluluk zehirli yılanların ve düşman kabilelerin saldırılarına uğrar; iç çekişmeler karışıklık yaratır. İsrailoğullarının yaban ortamda geçirdiği bu dönemin meşhur bir fasılası, Musa'nın Sina Dağı'na çıkması ve On Emir'in yer aldığı tabletleri almasıdır. Tabletler daha sonra Çadır Tapınak'ta bulunan Ahit Sandığı'na konulur.

Şeria Nehri'ni geçmesine izin verilmediği için, Musa asla Vaat Edilmiş Topraklar'a, yani Kenan'a giremez. *Kitabı Mukaddes*'e göre, Tanrı ölen peygamberi bizzat gömer.

Collection des Prospects.

Die zweyte Egyptische Plage.

Und der Herr sprach zu Moyse, sage Aaron, recke deine Hand aus, mit deinem Stabe
uber die Bache u. Strome, u. See, und, lass Frosche uber Egyptenland kommen. Und
Aaron recket seine Hand uber die Wasser in Egypten, und kamen Frosche herauf, das
Egyptenland bedeckt ward, und sie kamen in das Hauss, Kamer, Lager und auf
das Bette Pharao in die Hauser seiner Knechte, unter sein Volck, in ihre Backoffen,
und in ihre Teige. 2. Buch. Mose Cap. 8. v. 3. 5. 6.

La Seconde Plaie en Egypte.

L'Eternel donc dit a Moise, di a Aaron, eten ta main avec ta verge sur les fleuves,
sur les rivieres, et sur les marais et fai monter les grenouilles sur le pais d'Egypte.
Et ils sont monte dans la Maison, dans la Chambre et sur lit du Pharaon, et
dans la Maison de ses serviteurs, et parmi tout son peuple, dans sas leurs fours
et dans leurs mais. Excode Cap. 8. v. 3. 5. 6.

Se vend a Augsbourg au Negoce comun de l'Academie Imperiale d'Empire des Arts liberaux avec Privilege de Sa Majesté Imperiale et avec Defense m. d'en faire ni de vendre les Copies.

SOLDA Tanrı bir toz sütunu biçiminde İsrailoğullarına yol gösteriyor.
YUKARIDA Mısır'da kurbağaların ülkeyi istila ettiği ikinci afet.

倣孫悟空

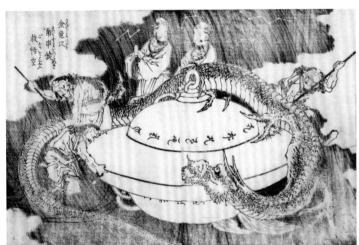

Batıya Yolculuk

Çinli Budist keşiş Xuanzang 7. yüzyılda kutsal metinleri edinmek üzere Hindistan'a masalımsı bir yolculuk yaptı. Dokuz yüzyıl sonra, 16. yüzyıl ortalarında Çinli yazar Wu Cheng'en hikâyeyi yeniden yazdı ve içine birçok hayali unsur kattı.

Bu efsanevi anlatımda, Tripitaka olarak da anılan Xuanzang'a doğaüstü Maymun Kral da eşlik eder. Maymun hapisten çıkarılmanın bir şartı olarak gönderilir. Suçu yeryüzünde, cennette ve cehennemde kargaşaya yol açmaktır: Doğu Denizi'nin Ejderha Kralı'nın asasını çalmış, *Sağlar ve Ölüler Defteri*'nden kendisiyle ilgili sayfaları çıkarmış ve bekçilik ettiği

ölümsüzlük şeftalilerini çalmıştır. Xuanzang'ın diğer iki yol arkadaşı Domuzcuk ve Kum Birader de tanrıları kızdırmıştır.

Yolculukta dört karakter cinlerle, düşman halklarla, kötü büyücülerle, aşılmaz nehirlerle ve dizginden çıkmış canavarlarla karşılaşır. Ancak sağ salim Hindistan'a varırlar; bizzat Buda'dan *sutra*'ların alınmasından sonra, Xuanzang ve Maymun budalık mertebesine ulaşırken, diğer iki gezgine de semavi roller verilir.

SOLDA *Muzip Maymun bir yazıyı inceliyor.* YUKARIDA *Hokusai'nin çizimiyle dört kâşifin başardığı işler.*

Yeraltına İniş

Yeraltına, yani ölüler diyarına inip geri dönen kahramanlar çoğu mitolojinin ortak unsurudur. Maya Kahraman İkizleri böyle bir yolculuğa çıkar; oraya varınca da yeraltı diyarının ilahlarını bir top oyununa davet ederek alt eder. İskandinav mitolojisinde yarı ilahi Hermod, Balder'i geri getirmek üzere Hel'e iner. Antik Yunan miti, Orpheus'un sevdiği Eurydike'yi çıkarmak için Hades'e girişini anlatır; Eurydike'nin ayrılmasına Orpheus'un dışarıya çıkana kadar arkaya bakmaması şartıyla izin verilir. Ancak Orpheus kendini tutamaz ve Eurydike ilelebet orada kalmaya mahkûm edilir.

Gılgamış Destanı'nda vahşi Enkidu yeraltına iner, ama aynen Orpheus gibi, katı talimatlara uymadığı için orada kalmaya mahkûm edilir. Neyse ki, güneş tanrısı Şamaş onun kaçması için toprakta bir delik açar.

Mesih'in cehenneme inişi, çarmıha gerilişini izleyen üç günde gerçekleşir. İlk insan Âdem'den başlayarak, o zamana kadar ölüp oraya gitmiş herkesi serbest bırakır. Japonya'da ilk insan İzanagi eşi İzanami'nin peşi sıra yeraltına gider, ama onun tarafından kovulur. Ayrılırken sol gözünden Amaterasu'yu dünyaya getirir.

Fin *Kalevala* destanında kahraman Lemminkäinen'in hikâyesi yer alır. Yeraltı nehrinde boğulduğu zaman, annesi onu köşe bucak arar. Başına geleni öğrenince, yeraltına iner, bedeninin parçalarını dikip bir araya getirir ve tanrıların yardımıyla onu diriltir.

AŞAĞIDA *Cumae'li Sibyl yeraltında Roma kahramanı Aineias'a yol gösteriyor.* SAĞDA *Dante ve Vergilius cehennemdeki Akheron Nehri'ni geçiyor.*

Kutsal Kâse

Kutsal Kâse efsanesi *Son Akşam Yemeği*'nde Mesih tarafından kullanılan ve büyülü özellikler taşıdığı söylenen kadehle ilgilidir. Kâse efsaneleri 12. yüzyıldan kalmış gibi görünse de, daha önceki Kelt mitolojilerini yansıtıyor olabilir.

En çok bilinen kâse mitlerinin konusu, Kral Arthur'un maiyeti, özel olarak da Percival (bazı kaynaklarda Parsifal) figürü etrafında döner. Fransız şair Chrétien de Troyes'un 12. yüzyıl sonlarında yazdığı bir eserde, Percival kâseyi Balıkçı Kral'ın büyülü konağında kalırken rüyasında görür.

Mitin başka versiyonları Kutsal Kâse'yi Sör Galahad'la ilişkilendirir. Galahad ilk kez Arthur'un maiyetine tanıştırıldığında, Kutsal Kâse'yi bulacağı söylenen şövalyeye ayrılmış boş koltuğa oturur. Arayışına koyulur ve denizi aştıktan sonra, hazinenin Kral Pelles tarafından korunduğu bir şatoya varır. Ama Galahad'ın melekler tarafından cennete taşınmasıyla, Kutsal Kâse bir kez daha kaybolur.

YUKARIDA *Bir Alman ressamın hayal gücüne göre Kutsal Kâse Tapınağı. Ana erkek figür Percival'dır (Parsifal).* SAĞDA *Yuvarlak Masa'da oturan Arthur ve şövalyeleri Kutsal Kâse'ye saygıyla bakıyor.*

t le roy fut issue du mousster et il vint
alais en hault se comanda q les nappes
ntmises Et lors sallerent sour les com
mons dim en son lieu ainsi come ilz auo
fait au matin Et quant ilz se furent to'
. lors oyrent vng estoy de tonnaire si
et si mezueilleux quil leur su adius q

leu ne dire mot tant furent menz gvani
setis Et quat demon ver siuet quat pier
telle maniere que nul deulx nauoit pouoir
puoler auis regardient to' toe bestes mue

DÜNYA MİTOLOJİLERİNE GENEL BAKIŞ

Avustralya Yerli Mitolojisi

Avustralya'nın yerli halkı bu geniş kıtaya yaklaşık 50 bin yıl önce yerleşmiş ve oldukça yakın bir döneme kadar diğer kültürlerden büyük ölçüde kopuk kalmıştır. Dolayısıyla mitolojisi Avustralya'nın coğrafyasıyla yakından ilişkilidir. Amerika Yerli kültüründe olduğu gibi, mitlerden bazıları (sayıca birkaç yüzü bulan) farklı Yerli topluluklarca paylaşılırken, diğerleri yerel topografyaya ve şartlara özgüdür.

Avustralya Yerlilerine göre, her şey bizi dünyanın oluştuğu Düş Görümü ya da Düş Zamanı ortamına götürür. Bu dönemde toprakları, sürekli "gezinti" halindeki ruhların ya da ataların yerleşime açtığına inanılır. Ülkeyi baştanbaşa dolaşırken, insanları ve sınır işaretlerini yaratan, ayrıca ayin ve tören geleneğini başlatan onlardır. Avustralya'nın her yanında benzer inançlara rastlanmasına karşın, yaratıcılarla ilgili hikâyeler genellikle yerelleşmiştir. Kuzey Amerika'da olduğu gibi, doğal çevre kutsal sayılır ve hayatın kaynağı olarak görülür. Uluru (Ayers Kayası) gibi sınır işaretlerinin yanı sıra küçük göllerin, mağaraların ve dağların özel anlam taşımasında, birçoğunun bizzat yaratıcı varlıkların yadigârları gibi görülmesinin küçümsenmeyecek payı vardır.

Temel Yerli figürlerinden biri olan "Gökkuşağı Yılanı", ülkeyi dolaşarak nesnelere ad veren ve sınır işaretlerini oluşturan bir dev yılandır. Başka bir mitoloji Avustralya'yı "keşfeden" ve Avustralya Yerlilerinin gözünde bir tür kötü adam olan İngiliz denizci Kaptan James Cook'un karakteri etrafında gelişmiştir.

Kelt Mitolojisi

Keltler Orta Avrupa, Kuzey İspanya, Fransa ve Britanya Adaları'nda yaşamış bir Demir Çağı halkıdır. Kültürlerine ilişkin ilk izlerin İÖ 8. yüzyıldan kalmasına karşın, varlıkları binlerce yıl öncesine iner. Çoktanrıcı Kelt dini Hıristiyanlaşma öncesinde Avrupa genelinde yaygındı. Bu dinin Galya'da ve Britanya Adaları'nda çok tutulan belirli bir kolu Druidizm'di.

Keltlerin yazılı kültürü çok sınırlıydı. Bugün "Kelt" mitolojisi olarak bildiğimiz şeyler çoğunlukla İskoçya, İrlanda ve Galler kaynaklıdır; bu hikâyelerin büyük bölümü ancak İS 7. ve 8. yüzyıllarda yazıya geçirilirken, günümüze ulaşan birçok belge 12. yüzyıldan kalmadır. Sonraki kuşaklar için sevindirici olan şey, Keltlerin İÖ 1. yüzyıldaki baş düşmanı Julius Caesar'ın Galya'daki seferlerine ilişkin bir tarih yazmış ve orada Kelt dininin unsurlarını sıralamış olmasıdır. Keltlerin, Romalıların ve Germen kabilelerinin ortak bir Hint-Avrupa mirasına dayanmasına karşın, Sezar'ın Kelt tanrılarını Roma'daki karşılıklarıyla ilişkilendirmede aşırıya gittiği söylenebilir.

Başlıca Kelt tanrıları Belenus (bir güneş tanrısı), Sulis (pınarların tanrıçası ve muhtemelen önemli bir ana tanrıça), Teutates (savaş tanrısı), Lugus (Mercurius'un karşılığı ve sanat tanrısı), Cernunnos (bir boynuzlu bereket tanrısı) ve Taranis'ti (Jüpiter'e benzer bir gürleme tanrısı). Taranis'in simgesi olan ispitli tekerlek Gundestrup Kazanı gibi Kelt sanat eserlerinde sıkça görülür.

Genel çerçevede Kelt mitolojisinin ayırıcı özellikleri, doğanın taşıdığı önem ve canlılık, bir Büyük Tanrıça'nın (ve başka güçlü tanrıçaların), *genii loci*'nin (belirli bir mekânın cinleri) varlığıdır.

Temel metinler: Günümüze ulaşan Kelt metinleri yoktur, ama Gal *Mabinogion* destanı, aynı şekilde İrlanda "Mitoloji" ve "Fianna" destan dizileri Kelt mitolojisine ilişkin bir fikir verir.

Orta ve Güney Amerika Mitolojisi

Mezoamerika'nın en önemli uygarlıkları Olmek (İÖ 2. binyıl-İÖ yak. 400), Maya (klasik dönem, İS 250-900), Toltek (İS 800-1000) ve Aztek (İS 14.-16. yüzyıllar) uygarlıklarıydı. Bunlar az çok şimdiki Meksika'ya denk gelen topraklarda ortaya çıkıp gelişti. Hepsi çoktanrıcıydı, piramitler kurardı, yıldızlara ilgi duyardı ve kendi başkentini evrenin merkezi sayardı. Bir başka ortak yanları, karmaşık takvimdi. Çoğunda geçerli olan insan kurban etme âdeti, kozmosun pürüzsüz işleyişi, tanrıların su ve günışığı vermesini sağlama açısından zorunlu olarak görülürdü.

Dört uygarlığın en az bilineni olan Olmeklerin insan ve hayvan niteliklerini birleştiren bir dizi tanrısı vardı. Geride yazı bırakılmamasına karşın, Olmek tanrılarının sonraki kültürlerde varlıklarını sürdürdükleri kabul edilir. Buna karşılık, Maya mitolojisini güneşin ve ayın kökeni sayılan Kahraman İkizler'e ilişkin hikâyelerden bazılarını içeren *Popol Vuh* adlı metin sayesinde biliyoruz. Gerek Mayalar, gerekse Aztekler kişileştirilen doğa güçlerine inanırdı ve döngüsel bir zaman teorisi geliştirmişti; üç katlı bir evren ve dokuz katlı bir yeraltı inancı esas alınırdı. (Mayalar yeraltını "ürkütücü yer" anlamında Xibalba diye anardı.)

Maya mitolojisinde Kahraman İkizler temel önemdedir. Bu kültür kahramanlarının Xibalba'ya indiği, bir top oyununda yeraltı diyarının ilahlarını yendiği ve zamanla güneş ile aya dönüştüğü söylenir. *Popol Vuh* onların hikâyesini anlatırken, Mezoamerika kültürünün temel ürünü mısıra dayalı tarım metaforunu kullanarak dünyanın yaratılışını ve yaratıcı Hurricane'ın ilk kusurlu insanları bir tufanla yok edişini açıklar. Vucub Caquix adlı bir iblis bu felaketin ardından asıl ilah olmaya kalkışır, ama Kahraman İkizler onu ortadan kaldırır. Zamanla insanlar mısır kullanılarak yeniden yaratılır.

Aztek mitolojisine ilişkin bilgiler Azteklerin kendi metinlerine ve İspanyol fatihlerin yazılı anlatımlarına dayanır. Aztek kültürünün odağında İS 1325'ten itibaren inşa edilen ve kurucularınca dünyanın merkezi sayılan Tenochtitlan kenti yer alır. Aztek yeraltı diyarı Mictlan, cenneti ise Tlalocan adıyla anılır. İkisi arasındaki insan katmanını güneşin yaşattığına inanılır. Güneşler bir yenilenme döngüsü içinde doğup ölür. Ayrıntılar mitin farklı anlatımlarına göre değişse de, artık Tonatiuh'un hüküm sürdüğü beşinci güneş çağına girildiği söylenir. Başlıca Aztek tanrıları Quetzalcoatl (Tüylü Yılan, suyla ve yağmurla ilişkilendirilen bir yaratıcı tanrı, önceki kültürlerden miras), Tezcatlipoca (bir savaş tanrısı) ve Coatlicue (yılan etekli Ulu Ana).

Güney Amerika'nın en çok bilinen Kolomb öncesi halkı, İS 12. yüzyıldan İspanyolların 1532'de gelişine kadar And Dağları'nı ellerinde tutan İnkalardı. Bu uygarlığın kurucusu bazı kaynaklarda güneş tanrısı Inti'nin oğlu olduğu öne sürülen Manco Capac'tı. İnkalara göre, dünyanın merkezi imparatorluğun başkenti Cuzco'ydu ve çevredeki topografya İnka mitolojisini büyük ölçüde etkilemişti. Titicaca Gölü bir *huaca* (özel anlama sahip yer ya da nesne) olduğu için özellikle kutsaldı. Mezoamerikalılar gibi İnkalar da dünya, cennet ve yeraltı diyarından oluşan üç katlı bir düzene inanırdı. Başlıca İnka tanrıları Pacha Camac (yaratıcı tanrı), Viracocha (uygarlığın taşıyıcısı), Mama Cocha (deniz tanrıçası) ve Inti'ydi (güneş tanrısı).

Temel metin: *Popol Vuh.*

Çin, Japonya ve Kore Mitolojisi

Çin, Japonya ve Kore mitolojileri Budizmden derin biçimde etkilenmiştir ve her biri Budizmin başka bir inanç sistemiyle sentezini temsil eder: Çin'de Taoizm, Japonya Şintoizm, Kore'de yerli şamanist inançlar.

Bununla birlikte, üç ülke birçok geleneği paylaşır. Hepsinde gerçek ile efsane arasındaki sınır bulanıktır; örneğin, dünyevi hükümdarların ilahi varlıkların soyundan geldiği söylenir. Hepsinde başta ejderha olmak üzere mitolojik yaratıklardan oluşmuş geniş bir topluluk yer alır. Her üçü de ana yönlere (kuzey, güney, doğu, batı), ayrıca genellikle tanrıların ve cinlerin yurdu sayılan dağlara büyük anlam yükler.

Kore inanışına göre, bildiğimiz insan soyundan önce gelen ilk-insanlar öteki canlı şeyleri (üzüm) yeme günahını işler ve gözden düşüp ölümsüzlükten yoksun kalır. Bu günahın bedelini bir ölçüde ödeyerek onları kurtaran (muhtemelen gökten gelme) ilk hükümdar Hwanung, tarımı ve yaşam için diğer temel becerileri öğretir. Bir mite göre, Hwanung'un insan olmasına izin verdiği bir ayı güzel bir kadına dönüşür; onun doğurduğu Dangun ise Kore halkının atası olur.

Çin mitolojisine göre yaratılış, yeri gökten ayıran Pan Gu'yla başlar. Ancak Taoizmin en yüce ilahları, evrene özgü *tao*'nun ("yaratıcı akış") timsali Üç Saf Varlık'tır. Bunlar Geçmiş, Bugün ve Gelecek olarak görülmekle birlikte, gökyüzü, yeryüzü ve yeraltıyla da ilişkilendirilir. Yaratılışın tamamına yön veren ise Üç Saf Varlık'ın bir yardımcısı olan Yeşim İmparator'dur (Yu Huang).

İnsan soyunun yüce ataları çoğu kez Nuwa ve Fuxi olarak belirtilir. Bir yılan bedenine sahip Nuwa, insanı yaratır. Ayrıca gökyüzünü tutan dört direkten birini (muhtemelen bir dağ) Gong Gong adlı cinin darbesiyle yıkılmasından sonra onarır. Hasarı, direğin yerine dev bir tosbağanın bacaklarını geçirerek giderir. Nuwa'nın erkek kardeşi ve kocası Fuxi, zamanla Çin'in ilk hükümdarlarından biri olur; onu Shennong ve Huang Di izler. İÖ 3. binyılda yaşadıkları söylenen bu figürlerin hepsi, uyruklarına yaşamı sürdürmek için gerekli olan tarım ve tıp gibi becerileri öğretir. En önemli Çin efsanevi hayvanı sulara hâkim olduğuna inanılan ejderhadır hiç kuşkusuz.

Japon mitolojisi halk inançlarını Budizm ve Şintoizmle birleştirir. Japon panteonu geniştir: Bazıları şimdiki Japon imparatorunun bile güneş soyundan geldiğine inanır. İlk tanrıların son halkası sayılan İzanagi ve İzanami, Japon takımadalarını yaratır. İzanami adalardan sekizini doğurur. Bir dizi küçük tanrıya da annelik eder ve ateşin bedene bürünmüş halini doğururken can verir. İzanagi karısını kurtarmak için cehenneme gider, ama başarısız olur. Dönüşünde güneş tanrısı Amaterasu ile fırtına tanrısı Susanu'yu yaratır. Amaterasu zamanla torunu Ninigi'ye Üç Kutsal Hazine verir; bunlardan ikisi bugün hâlâ kutsal mekânlarda durur. Japonya'nın ilk imparatoru Cimmu, Ninigi'nin torununun torunudur ve sonraki bütün imparatorlar geleneksel olarak onun soyundan gelmiş sayılır.

Cehennem teması Japon sanatında sıkça işlenir. İnsanları cezalandırmada ve yıldırmada önemli bir rol oynayan cinler, Japon halk mitolojisindeki daha geniş canavarlar ve ruhlar topluluğunun bir parçasını oluşturur.

Temel metinler: Çin mitolojisi için *Shan Hai Jing* ("Dağlar ve Denizler Derlemesi", yazılışı İÖ 2. yüzyıl), *Hei'a Zhuan* ("Karanlık Destanı", sözlü geleneğin bir dökümü) ve *Batıya Yolculuk*. Japonya'da en iyi özet kaynaklar *Kociki* (İS 8. yüzyıldan itibaren ortaya çıkmış mitlerin bir derlemesi) ve *Nihon Şoki*'dir (tamamlanışı İS 720).

Mısır Mitolojisi

Kadim Mısır mitolojisi ve toplumu ülkenin coğrafyasına ve iklimine, en başta da Nil'in ve barınmaya elverişsiz çölün iki yanındaki verimli arazi şeritleri arasında ayrıma göre şekillenmişti. Nil'in yıllık taşkınının tarımı mümkün kılması, Mısır mitolojisine yansıyan hayati bir roldü.

Kadim Mısır uygarlığı İÖ 4. binyıldan İÖ 1. binyıla kadar sürdü. Mısır mitolojisine ilişkin bilgilerimiz defin sanatına, eski anıtlardaki yazıtlara, *Ölüler Kitabı*'ndan kalan parçalara, Yunan ve Roma anlatımlarına dayanır. İsis ve Osiris hikâyesi temel önemdedir. Osiris (sonradan kaos ve kötülükle ilişkilendirilen) kıskanç erkek kardeşi Seth tarafından öldürülür, ancak kız kardeş ve eşi İsis tarafından diriltilir ve onu Horus'a gebe bırakacak kadar yaşar. Ardından yeraltı diyarına inerek ölülerin hâkimi olur. Osiris'in ölümü ve yeniden doğuşu Nil'in yıllık taşkınını yansıtır.

Mısır mitolojisi bir güneş yelkenlisiyle dünyanın çevresinde dolaşan güneş tanrı Ra'ya da büyük önem verir. Osiris sayesinde enerjisi yenilenir ve her gece kaos yılanı Apep'le dövüşür; gündoğumu düzenin geri gelişini simgeler. Bazen Apep'in kavgayı kazanması gök gürültülü fırtınalara yol açar. Ra'yı tamamen yuttuğunda ise güneş tutulmaları ortaya çıkar.

Mısır tanrıları bazen yereldir ve zamanla kaynaşarak yeni ilahları yaratır. Mezopotamya'da olduğu gibi, çoğu kez siyasal anlam taşır ve yeni firavunlar belirli bir ilahı öne çıkarma yoluna gidebilir. Örneğin, Heliopolis'te ortaya çıkan yaratılış miti (kendisini kaos sularından yaratan) Atum'u dünyanın yaratıcısı sayar. Daha sonraları Ra'yla birleştirilmesi Atum-Ra'yı ortaya çıkarır.

Diğer merkezi önemde tanrılar arasında Thoth (ay, zaman ve büyüyle ilişkilendirilen "Ra'nın yüreği"), Anubis (çakal başlı defin tanrısı), Bes (bir ev tanrısı), Geb (toprak tanrısı), Nut (gök tanrıçası) ve Hathor (inek gök tanrıçası) sayılabilir.

Temel metinler: *Ölüler Kitabı*; Plutarkhos, "İsis ve Osiris Üzerine" yazısı; Herodotos, *Historiae*, Kitap 2.

Mısır Tanrılarının
Soyağacı

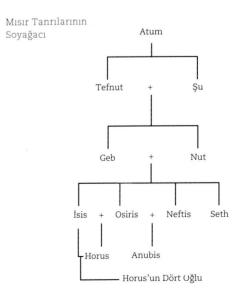

Yunan ve Roma Mitolojisi

Avrupa'nın en çok bilinen mitolojik sistemi ve İÖ 2. binyıldan İS 5. yüzyıla kadar birçok dinin esası olan Yunan ve Roma mitolojisi, yüzlerce kez anlatılmış masallarla doludur. Theseus ve Minotauros, Odysseus, Troya Atı, Herakles'in görevleri ve Romulus ile Remus hikâyeleri her okura aşina gelir. Birçok kişi tanrılar ile ölümlüler arasındaki sonu gelmez kavga ve aşk hikâyelerini (sözgelimi Zeus'un romantik gönül çalmalarını), Ovidius'un *Metamorphoseon* kitabını ya da İason'un Altın Post arayışını bilir. Bu mitlere ilişkin bilgilerimiz sadece metinlere değil, heykelleri ve (Yunan mitolojisi açısından) resimli vazoları içeren çok sayıda sanat eserine de dayanır.

Yunan mitolojisindeki birinci kuşak tanrılar somut biçimden yoksun ilk varlıklardır. Kaos, Eros ve Gaia (Yeryüzü) gibi bu varlıklar sanatta nadiren tasvir edilir. Onların (çeşitli canavarlar dışında) doğurduğu Titan'lardan ikisi, Kronos ve Rhea ise Zeus ve kardeşlerinin ebeveynleridir. Zeus zamanla babasını devirir ve Olymposlular, yani on iki ana tanrıdan (Zeus, Hera, Poseidon, Demeter, Athena, Dionysos, Apollon, Artemis, Ares, Aphrodite, Hephaistos ve Hermes) oluşan "klasik" pantheon içinde üstünlük kazanır. Bu tanrılar artık ölümsüz ve değişmez hale gelir. Ne var ki, kendi aralarındaki (ve ölümlülerle) ilişkilerinden şaşırtıcı çeşitlilikte başka ilahlar, yarı-tanrılar ve cinler, ayrıca insanlar doğar.

İnsanlığın kökeni, aralarında Zeus'un ve Prometheus'un bulunduğu çeşitli figürlere bağlanır. Daha sonra insanoğlu aşağıya doğru bir ilerleyişle Altın, Gümüş, Tunç, Kahramanlık ve Demir çağlarından geçer. Kahramanlık Çağı Yunan mitolojisinde eksen olay niteliğindeki Troya Savaşı dönemidir. Homeros'un *İlyada* ve *Odysseia* eserlerinde işlediği bu hikâyede, Yunan kent-devletlerinden oluşan bir ittifakın kaçırılan Helena'yı geri getirmek üzere gemilerle Troya'ya gidişi, tanrıların da taraf olduğu on yıllık bir çatışmaya yol açar. *Odysseia* savaş sonrasında Odysseus'un eve dönüşünü de anlatır.

Yunan dünya görüşüne genellikle büyü sinmiştir; insanların (hatta tanrıların) başına her an her şey gelebilir, biçimler aldatıcıdır ve sürekli değişir. Theseus ve Minotauros, İason ve Ejderha, Oidipus ve Sfenks ya da Herakles ve Lerna Suyılanı örneklerinde olduğu gibi, kahramanın bir canavarla kapışması yaygın bir mecazdır.

Roma mitolojisinin esasları çoğu kez Yunan mitolojisinden sadece adlar açısından farklılık gösterir: Zeus Jüpiter'e, Ares Mars'a, Hera Iuno'ya, Aphrodite Venüs'e vb. dönüşür. Ancak bazı önemli yenilikler görülür ve Yunan tanrılarının Roma versiyonlarına bazen daha eski Etrüsklerin dininden alınma unsurlar katılır. Roma mitolojisi geniş çaplı fetihlerden de etkilenmiş ve böylece diğer bölgelerin çeşitli ilahları benimsenmiştir. Örneğin, Kybele kültü Yakındoğu'dan alınmış etkili bir unsurdur. Roma'nın kuruluş miti, yani Romulus ile Remus hikâyesi elbette imparatorluğa özgüdür; yine de imparator Augustus'un Vergilius'a yazdırdığı *Aeneis*'te Roma'nın kökleri Troya prensi Aineias'a kadar götürülür. Olayların bu anlatımına göre, Yunanların zaferi üzerine Troya'dan kaçan Aineias (Odysseus'a benzer şekilde) birkaç yıl Akdeniz boyunca dolaşır ve sonunda vardığı İtalya'da oğlu zamanla Roma'yı kurar.

Yunan-Roma mitolojisi, Kelt ve belki de İskandinav mitlerini etkilemiş gibidir; bu özellikle pantheona gürleme tanrısının (Zeus/Jüpiter, Taranis ya da Thor) egemen olmasında belirgindir.

Temel metinler: Hesiodos, *Theogonia*; Homeros, *İlyada* ve *Odysseia*; Ovidius, *Metamorphoseon*; Vergilius, *Aeneis*.

Yunan Tanrılarının Soyağacı

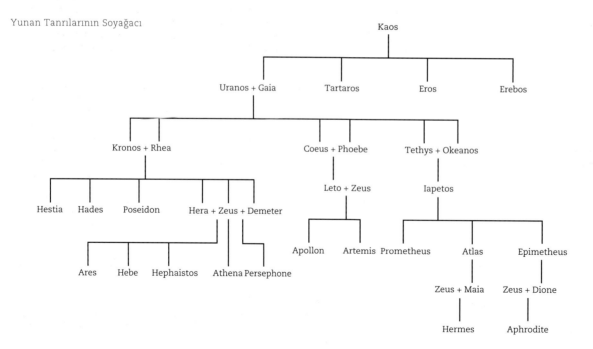

Hindu Mitolojisi

Hinduizm öncelikle şimdiki Hindistan ve Bali'de benimsenmiş bir dindir. Kaynağı ise Veda'lar olarak anılan ve geçmişi İÖ 2. binyıla kadar giden on dört adet ilahi vahiy metnine dayalı Veda dönemi dinidir.

Veda metinleri tanrılarla birlikte bütün evreni oluşturmak üzere bedeni parçalanan ilk insan Puruşa miti gibi çeşitli yaratılış mitlerini anlatır. Başka bir köken mitine göre, yaratılış bir altın yumurtanın açılmasıyla ortaya çıkar. Bununla birlikte, yaratılış döngüseldir ve çarpıcı biçimde uzun dönemlerle kendini sürekli yeniler.

Hinduizmde fiilen başlıca üç tanrı vardır: Brahma (Yaratıcı), Vişnu (Kollayıcı) ve Şiva (Yıkıcı). Her birinin birçok *avatar*'ının ve almaşık biçiminin olması, farklı senaryolarda görünmelerini sağlar; bunların hepsi birçok bakımdan yegâne ilahi bilinç Brahman'ın suretleridir. Üç ana tanrının eşleri (sırasıyla Lakşmi, Parvati ve Saraswati) aynı şekilde çeşitli *avatar*'lara sahiptir; bu durum Durga ve Kali figürleri için de geçerlidir. Ayrıca ateş tanrısı Agni ve fil başlı Ganeşa gibi daha az önemli olmakla birlikte çok sevilen tanrılar vardır. Genellikle tanrıların rolleri Yunan mitolojisindekinden daha az katıdır. Kötülük tarafında bir tür cin olan *asura*'lar yer alır; ancak onlar bile şaşırtıcı biçimde inançlı olabilir.

Bu geniş çaplı ve kapsayıcı çerçeve içinde çeşitli çarpıcı olaylar yer alır. Bunun bir örneği, tanrıların ve cinlerin birlikte ölümsüzlük iksiri elde etme uğraşına girdiği Süt Okyanusu'nun çalkalanışıdır. Bu iş sırasında öne çıkan talih ve ışık tanrıçası Lakşmi günümüzde Diwali şenliğiyle anılır. Başka bir hikâye bir tufanla tamamen sular altında kalan dünyanın dev bir yabandomuzu biçimine bürünen Vişnu tarafından yukarıya itilerek kurtarılışını anlatır.

Hinduizmde iki kilit destan *Ramayana* ve *Mahabharata*'dır. İkincisinde yer alan meşhur ve öğretici *Bhagavad Gita* hikâyesi iki aile arasındaki bir savaşı, özünde iyi ve kötü arasındaki bir çatışmayı anlatır. Kurukşetra'daki nihai çarpışmanın sonucunu, aynen Yunan tanrılarının Troya'da belirleyici olmasındaki gibi, Krişna (Vişnu'nun bir *avatar*'ı) belirler.

Kilit metinler: Veda'lar olarak bilinen yazılar derlemesi, ayrıca *Mahabharata* ve *Ramayana*.

Musevi-Hıristiyan Mitolojisi

Coğrafi köklerinin Yakındoğu'da olmasından dolayı gerek Musevilik, gerekse Hıristiyanlık geleneği, Mısır, Mezopotamya, Yunan, Kenan ve İran mitolojilerinden yoğun biçimde etkilenmiştir. Bağlantılı oldukları İslam gibi, ikisi de hâlâ yaşayan dinlerdir.

Kitabı Mukaddes'teki *Eski Ahit* dünyanın ve evrenin yaratılışını, insanın dünyaya yayılışını anlatır. Âdem ile Havva, ayrıca oğulları Kabil ile Habil hikâyelerine yansıyan iyi ve kötü arasındaki bir erken çatışmayı içerir. Birkaç kuşak geçince, Tanrı kendi eseri karşısında hayal kırıklığına uğrayarak, Nuh ve ailesi dışında bütün insanları yok etmeye karar verir. *Eski Ahit* farklı dillerin ortaya çıkışını (Babil Kulesi hikâyesi) ve insanların belirli bir yaşta ölmesinin sebebini açıklar; ayrıca On Emir biçiminde yasalar ortaya koyar. *Kitabı Mukaddes*'teki birçok hikâyeden biri de Yahudilerin Mısır'daki tutsaklığını ve Musa'nın yol göstericiliğinde Vaat Edilmiş Topraklar'a ulaşma mücadelesini anlatır.

Hıristiyanlığa ilişkin *Yeni Ahit* bir ilkörnek kahramanlık figürü olan İsa Mesih'in hikâyesini anlatır. Bakire Meryem'in çocuğu olarak, bir dizi mucize (su üstünde yürüme, ölüleri diriltme, suyu şaraba çevirme) sergiler. Sonunda insanlığı dünyaya yeniden gelip cennete çıkma ön-

cesinde günahtan arındırmak üzere, çarmıha gerilme yoluyla kendini feda eder. Bazı geleneklere göre, dirilişinden önce geçmişte ölenlerin ruhlarını kurtarmak için yeraltına iner.

Hıristiyanların geleneksel evren anlayışı üç katlıdır: Ölümlü dünya, yukarıdaki cennet ve aşağıdaki cehennem. Mesih'i baştan çıkarmaya çalışmış düşkün bir melek olan Şeytan cehennemde hüküm sürer. *Yeni Ahit* dünyanın sonu üzerine Patmos'lu Aziz Yuhanna'nın öngörüsüyle biter. Bu bölüm Şeytan'ın nihai yenilgisini, canlıların ve ölülerin yaşayacağı Kıyamet'i kapsar.

Kitabı Mukaddes sonrası mitolojinin merkezinde azizlere ilişkin efsaneler yer alır; bunlardan bazıları mucizeler sergilerken, Aziz Georgios gibi diğerleri canavarlarla boğuşur.

Temel metinler: *Kitabı Mukaddes*; Jacobus de Voragine, *The Golden Legend*.

Mezopotamya Mitolojisi

Mezopotamya terimi Fırat ve Dicle nehirleri arasında şimdiki Irak'a denk düşen toprakları ve orada beş bin yılı aşkın bir süre önce başlamış bir uygarlığı ifade eder. Bölgenin gelenekleri Akad, Babil, Sümer, Asur ve bir ölçüde Hitit mitolojisini kapsar. Tanrılar, tanrı adları ve hikâyeler bakımından büyük bölgesel değişkenlik olmasına karşın, genellikle gökyüzünün düzeni yeryüzündeki siyasal örgütlenmeyi yansıtır ve bazı tanrılar belirli bir kente bağlıdır. Birçok tanrının etki alanı muğlaktır: Örneğin, fırtına ve iklim tanrısı Enlil bereketi de denetler.

Akad miti *Enuma Eliş*'e göre, başlangıçta sadece eril Apsu (tatlı su) ve dişi Tiamat (diğer adıyla Nammu, tuzlu su) vardır. İkisi birlikte dünyanın unsurlarını yaratırken, yan yandan da birbirleriyle dövüşürler. Sonunda Apsu yenik düşer; Tiamat ve canavar ordusu ise kafa tutan kral-tanrı Marduk'a yenilir. Böylece Marduk'un başa geçmesi, kaos karşısında düzenin bir zaferi sayılır. Yeri ve göğü yaratmak üzere Tiamat'ın bedeni ortadan yarılır. Marduk'un yeni başkentine Babil adı verilir.

Bölgenin diğer yaratılış mitlerinde, evreni oluşturma payesi tatlı su tanrısı Enki'ye (Ea'nın Akad dilindeki adı) verilir; Enki dünyanın farklı kısımlarını yarattıktan sonra, hepsine birer küçük tanrı verir. Ardından biri ana tanrıça Ninhursaga'yla olmak üzere, enseste dayalı bir dizi çiftleşmeyle dünya ortaya çıkar. Enki'nin cinsel gücü suyun hayat verici niteliklerine ilişkin bir metafordur. İnsanlar tanrıların hizmetinde çalışmaları ve onlara sınırsız boş zaman sağlamaları için yaratılmıştır.

Çok sonraki *Gılgamış Destanı* ise insandan ve hiç kesilmeyen şamatasından bezen Enki/Ea'nın dünyayı bir tufanla yok etme kararına varışını anlatır. Utnapiştim sağ bırakılacak kişi olarak seçilir.

Önemli ölçüde farklılık gösteren ve Zerdüştçülüğü etkileyen İran mitolojisinin merkezinde Ahura Mazda (iyilik, aydınlık) ve Ahriman (karanlık) figürleri yer alır. Zerdüştçü pantheonun belki de en çok bilinen tanrısı Mithra, sonraları Roma tanrısı Apollon'la birleştirilen bir ahit tanrısıdır. İran mitolojisinin en ünlü derlemesinin İS 1000 dolaylarından kalan ve kahraman Rüstem efsanesini içeren *Şehname* olduğu söylenebilir.

Temel metinler: *Gılgamış Destanı* çoğu kaynakta dünyanın ilk destanı kabul edilir; kahraman Gılgamış'ın hikâyesini ve ölümsüzlük arayışını anlatır. Ayrıca bkz. *Enuma Eliş*. İran mitolojisi için *Şehname* mükemmel bir özet kaynaktır.

Mezopotamya Tanrılarının Soyağacı

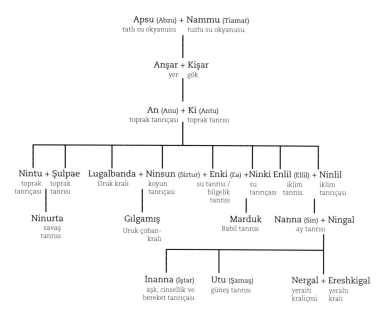

İskandinav Mitolojisi

Yerini Hıristiyanlığa bıraktığı İS 11. yüzyıla kadar, İskandinav inanç sistemine Kuzey Avrupa'nın her yanında, Angıllar, Saksonlar, Danlar, Jütler, Norveçliler, İsveçliler ve İzlandalılar arasında rastlamak mümkündü. Aslına bakılırsa, İskandinav pantheonunu daha genel nitelikteki "Germen" pantheonundan ayırt etmek zordur.

İskandinav mitolojisine göre, evren dokuz dünyadan oluşur; bunların (insanlar açısından) en önemlisi Midgard, yani günlük yaşantı dünyasıdır. Midgard'ı çevreleyen denizde Midgard Yılanı yaşar. Dokuz dünya Yggdrasil adlı dünya ağacının etrafında düzenlenmiştir.

Topluca Aesir olarak anılan asıl tanrıların başı, Valhalla'da yaşayan Odin'dir. Diğer temel ilahlar Thor (Odin'in oğlu), Loki, Freyr ve Balder'dir. Loki bir tanrı olmasına karşın, çeşitli canavarları dünyaya getirir; sıklıkla tanrılara ihanet eder ya da arkalarında dümenler çevirir. Kaos güçlerini temsil eden Buz Devler sürekli Aesir'le kavgalıdır. Vanir adlı ikinci bir tanrı soyu vardır, ama mitolojik konumu pek önemli değildir.

İskandinav mitolojisine kehanet yön verir. Örneğin, Odin dev kurt Fenrir tarafından yutulacağı yolundaki bir kehanet üzerine dehşete kapılır ve ölü askerlerden oluşan bir ordu toplar. Tanrıların yok oluşu kaçınılmaz görülür: Ragnarök ("tanrıların kıyameti") sırasında herkes ölümle dövüşmek için buluşacaktır. Tutuşan yeryüzü denizde batacaktır, ama iyi tanrı Balder'in yönetimi altında yeniden doğacaktır.

Temel metinler: *Manzum Edda* ve *Nesir Edda*; ikincisini İzlandalı tarihçi Snorri Sturluson çeşitli eski mitlerden derlemiştir.

Amerika Yerli Mitolojisi

Texas'tan Kanada'ya kadar Kuzey Amerika boyunca rastlanan Amerika Yerli mitolojisi bir zamanlar bu topraklarda yaşayan Hopi, Siu, Navaho, Çeroki gibi yüzlerce kabilenin ayrı geleneklerini yansıtır. Amerika Yerlisi olmayanlar için, bu mitolojiyi anlamanın önündeki başlıca engel yazılı metinlerin yokluğudur.

Yine de bazı ortak unsurları belirlemek mümkündür. Amerika Yerli mitolojisi doğanın rolüne büyük ağırlık verir ve her şeyin, kayaların ve nehirlerin bile bir ruhu olduğu inancına dayanır. Doğa kutsaldır ve belirli anlam taşıyan kutsal yerlerle (pınarlar, dağlar, nehirler, kanyonlar) doludur. Hayvanlar insanların ataları olarak görülür.

Amerika Yerli kozmoloji mitleri genellikle evrenin sulardan çıktığını varsayar ve birçok kabilenin toprak dalgıcı hikâyeleri vardır; bunlarda mütevazı bir yaratığın toprağı azar azar yüzeye taşıdığı söylenir. Diğer geleneklerde yaratıcılık rolü, insanları bir önceki dünyadan şimdiki dünyaya yönlendiren Örümcek Nine'ye verilir. (Çok sayıda dünyanın varlığı Amerika Yerli mitlerinin ortak bir özelliğidir.) Yaratılış mitlerinde bile asal tanrıların, genellikle Gök Baba ve Toprak Ana'nın nadiren yer alması çarpıcıdır; bunlar çoğunlukla günlük yaşamdan çok uzak görünür.

Amerika Yerli mitolojisinin başta Kuzgun ve Çakal olmak üzere çok sayıda oyunbaz varlığı barındırması dikkat çekicidir. Bu bazen gülünç, bazen neredeyse alçak karakterler her şeyi tersyüz etmekten hoşlanır ve sıklıkla sekse son derece düşkün olur. Gördükleri rağbet birçok maceranın kahramanı olmalarını sağlar.

İskandinav Tanrılarının Soyağacı

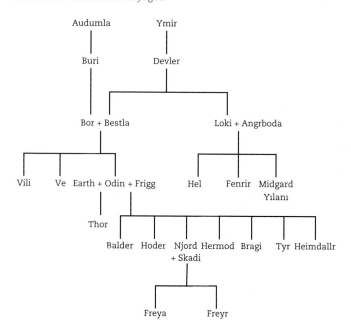

KAPSAMLI OKUMA

||||||||||||||||||||||||||||||||||||||||||||||||||||||

Tek bir kültür içinde bile mitler nasıl büyük değişkenlik gösterirse, bu durum yorumlarda da görülebilir. Aşağıdaki liste, bir dizi farklı bakış açısını sunacak şekilde, hikâye kitaplarından akademik araştırmalara kadar uzanan yayınlardan oluşmaktadır.

Genel

Robert Adkinson, *Sacred Symbols: Peoples, Religions, Mysteries.* Londra: Thames & Hudson, 2009

Karen Armstrong, *A Short History of Myth*, Edinburgh: Canongate, 2006

Joseph Campbell, *The Hero with a Thousand Faces*, Princeton, N.J.: Princeton University Press, 2004

Christopher Dell, *Monsters: A Bestiary of the Bizarre*, Londra: Thames & Hudson, 2010

William G. Doty (ed.), *World Mythology: Myths and Legends of the World Brought to Life*, New York: Barnes & Noble, 2002

Geoffrey Kirk, *Myth: Its Meaning and Function in Ancient and Other Cultures*, Berkeley, Calif.: 1970

David Leeming, *The Oxford Companion to World Mythology*, Oxford: Oxford University Press, 2005

C. Scott Littleton (ed.), *Mythology: The Illustrated Anthology of World Myth and Storytelling*, Londra: Duncan Baird, 2002

Jaan Puhvel, *Comparative Mythology*, Baltimore: John Hopkins University Press, 1989

Lewis Spence, *Introduction to Mythology*, Guernsey: Studio Editions, 1994

Afrika mitolojisi

Stephen Belcher (ed.), *African Myths of Origin*, Londra: Penguin, 2005

Harold Courlander, *Tales of Yoruba: Gods and Heroes*, New York: Original Publications, 1995

Baba Ifa Karade, *The Handbook of Yoruba Religious Concepts*, York Beach, Me.: Weiser, 1994

Patricia Ann Lynch ve Jeremy Roberts, *African Mythology, A to Z*, Chelsea House Publishers, 2010

Ngangur Mbitu ve Ranchor Prime, *Essential African Mythology: Stories That Change the World*, Londra: Thorsons, 1997

Harold Scheub, *A Dictionary of African Mythology*, New York: Oxford University Press, 2000

Kelt mitolojisi

Peter Berresford Ellis, *The Mammoth Book of Celtic Myths and Legends*, Londra: Robinson, 2002

Arthur Cotterell, *Mythology of the Celts: Myths and Legends of the Celtic World*, Londra: Southwater, 2007

Miranda Green, *Animals in Celtic Life and Myth*, Londra: Routledge, 1992

Miranda J. Green, *Dictionary of Celtic Myth and Legend*, Londra: Thames & Hudson, 1992

Simon James, *Exploring the World of the Celts*, Londra: Thames & Hudson, 2005

The Mabinogion, çev. Sioned Davies, New York ve Oxford: Oxford University Press, 2008

James MacKillop, *Dictionary of Celtic Mythology*, Oxford: Oxford University Press, 1998

John Matthews, *The Grail: Quest for the Eternal*, Londra: Thames & Hudson, 1981

Christopher Snyder, *Exploring the World of King Arthur*, Londra: Thames & Hudson, 2011

Orta ve Güney Amerika mitolojisi

K. Berrin ve E. Pasztory (ed.), *Teotihuacan: Art from the City of the Gods*, Londra: Thames & Hudson, 1993

David M. Jones, *Mythology of the Aztecs and Maya*, Londra: Southwater, 2007

Mary Ellen Miller ve Karl Taube, *An Illustrated Dictionary of the Gods and Symbols of Ancient Mexico and the Maya*, Londra: Thames & Hudson, 1997

Popol Vuh, çev. Dennis Tedlock, New York: Simon & Schuster, 1996

Paul Richard Steele, *Handbook of Inca Mythology*, Santa Barbara, Calif.: ABC-CLIO, 2004

Karl Taube, *Aztec and Maya Myths*, Austin, Tex.: University of Texas Press, 1993

Doğu Asya mitolojisi

Michael Ashkenazi, *Handbook of Japanese Mythology*, New York: Oxford University Press, 2008

Anne M. Birrell, *Chinese Mythology: An Introduction*, Baltimore ve Londra: Johns Hopkins University Press, 1999

Manchao Cheng, *The Origin of Chinese Deities*, Pekin: Foreign Language Press, 1995

F. Hadland Davis, *Myths and Legends of Japan*, New York: Dover Publications, 1992

P.-G. Hwang, *Korean Myths and Folk Legends*, Fremont, Calif.: Jain Publishing, 2006

David Leeming, *A Dictionary of Asian Mythology.* Oxford: Oxford University Press, 2001

M. Lewis, *The Flood Myths of Early China*, Albany, N.Y.: State University of New York Press, 2006

Keith G. Stevens, *Chinese Mythological Gods*, New York: Oxford University Press, 2000

Lihui Yang, Deming An ve Jessica Anderson Turner, *Handbook of Chinese Mythology (Handbooks of World Mythology)*, New York: Oxford University Press, 2008

Hiroko Yoda ve Matt Alt, *Yokai Attack!: The Japanese Monster Survival Guide*, Tokyo: Kodansha International, 2008

Wu Ch'eng-en, *Monkey*, çev. Arthur Waley, Londra: Penguin, 2005

Mısır mitolojisi

The Egyptian Book of the Dead, çev. E. A. Wallis Budge, Londra: Penguin, 2008

G. Hart, *Egyptian Myths*, Londra: British Museum Press, 1990

Manfred Lurker, *An Illustrated Dictionary of the Gods and Symbols of Ancient Egypt*, Londra: Thames & Hudson, 1982

Geraldine Pinch, *Egyptian Mythology: A Guide to the Gods, Goddesses, and Traditions of Ancient Egypt*, New York: Oxford University Press, 2004

Joyce Tyldesley, *The Penguin Book of Myths and Legends of Ancient Egypt*, Londra: Penguin, 2010

Richard H. Wilkinson, *The Complete Gods and Goddesses of Ancient Egypt*, Londra: Thames & Hudson, 2003

Yunan ve Roma mitolojisi

Lucilla Burn, *Greek Myths*, Londra: British Museum Press, 1990

Richard Buxton, *Imaginary Greece: The Contexts of Mythology*, Cambridge: Cambridge University Press, 1994

Richard Buxton, *The Complete World of Greek Mythology*, Londra: Thames & Hudson, 2004

Malcolm Day, *100 Characters from Classical Mythology*, New York: Barron's, 2007

Hesiodos, *Theogony and Works and Days*, çev. M. L. West, Londra: Penguin, 2008

Homeros, *The Iliad*, çev. E. V. Rieu, Londra ve New York: Penguin, 2003

Homeros, *The Odyssey*, çev. E. V. Rieu, intro. Peter Jones, Londra ve New York: Penguin, 2006

C. Kerényi, *The Gods of the Greeks*, Londra: Thames & Hudson, 1951

C. Kerényi, *The Heroes of the Greeks*, Londra: Thames & Hudson, 1997

Stephen P. Kershaw, *The Greek Myths: Gods, Monsters, Heroes and the Origins of Storytelling*, Londra: Robinson, 2007

Philip Matyszak, *The Greek and Roman Myths: A Guide to the Classical Stories*, Londra: Thames & Hudson, 2010

Ovidius, *Metamorphoseon*, çev. David Raeburn, Londra: Penguin, 2004

Barry B. Powell, *Classical Myth*, Boston, Mass. ve Londra: Pearson, 2012

Hindu ve Hint mitolojisi

The Bhagavad Gita, çev. W. J. Johnson, Oxford: Oxford University Press, 2008

Yves Bonnefoy (ed.), *Asian Mythologies*, Chicago: University of Chicago Press, 1993

Anna L. Dallapiccola, *Dictionary of Hindu Lore and Legend*, Londra: Thames & Hudson, 2004

Wendy Doniger, *Hindu Myths: A Sourcebook Translated from the Sanskrit*, Londra: Penguin, 2004

John Dowson, *A Classical Dictionary of Hindu Mythology and Religion, Geography, History, and Literature*, Londra: Routledge, 2000

The Mahabhrata, çev. John D. Smith, Londra: Penguin, 2009

Musevi-Hıristiyan mitolojisi

Bernard Frank Batto, *Slaying the Dragon: Mythmaking in the Biblical Tradition*, Louisville, Ky.: John Knox Press, 1999

Norman Cohn, *Cosmos, Chaos, and the World to Come*, New Haven, Conn. ve Londra: Yale University Press, 2001

Gary Greenberg, *101 Myths of the Bible: How Ancient Scribes Invented Biblical History*, Naperville, Il.: Sourcebooks, 2002

David Leeming, *Jealous Gods and Chosen People: The Mythology of the Middle East*, New York: Oxford University Press, 2004

Ortadoğu ve Yakındoğu mitolojisi

Jeremy Black ve Anthony Green, *Gods, Demons and Symbols of Ancient Mesopotamia*, Londra: British Museum Press, 1992

S. G. F. Brandon, *Creation Legends of the Ancient Near East*, Londra: Hodder and Stoughton, 1963

Stephanie Dalley, *Myths from Mesopotamia: Creation, The Flood, Gilgamesh, and Others*, Oxford: Oxford University Press, 2008

The Epic of Gilgamesh, çev. Andrew George, Londra: Penguin, 2003

Samuel Noah Kramer, *Sumerian Mythology: A Study of Spiritual and Literary Achievement in the Third Millennium BC*, Philadelphia: University of Pennsylvania Press, 1998

Diana Wolkstein ve Samuel Noah Kramer, *Inanna, Queen of Heaven and Earth*, New York: Harper, 1983

Amerika Yerli mitolojisi

David Jones, *The Illustrated Encyclopedia of American Indian Mythology: Legends, Gods and Spirits of North, Central and South America*, Leicester: Anness, 2010

David Leeming ve Jake Page, *The Mythology of Native North America*, Norman, Okla.: University of Oklahoma Press, 2004

Alfonso Ortiz ve Richard Erdoes, *American Indian Myths and Legends*, Londra: Pimlico, 1997

Alfonso Ortiz ve Richard Erdoes, *American Indian Trickster Tales*, New York: Penguin, 1998

Zitkala-Sa, Cathy N. Davidson ve Ada Norris, *American Indian Stories, Legends, and Other Writings*, Londra: Penguin, 2003

İskandinav mitolojisi

Margaret Clunies Ross, *Prolonged Echoes: Volume 1: Old Norse Myths in Medieval Northern Society*, Odense: University Press of Southern Denmark, 1995

H. R. Ellis Davidson, *Gods and Myths of Northern Europe*, Harmondsworth: Penguin, 1971

Carolyne Larrington (çev.), *The Poetic Edda*, Oxford: Oxford University Press, 1996

John Lindow, *Norse Mythology: A Guide to the Gods, Heroes, Rituals, and Beliefs*, Oxford: Oxford University Press, 2002

GÖRSEL MALZEME LİSTESİ

a = aşağıda, o = ortada, sğ = sağda, sl = solda, y = yukarıda

1 O. v. Leixner, *Illustrirte Geschichte des deutschen Schriftthums*, c. 1 (Leipzig ve Berlin, 1880). Foto akg-images
2 Giovanni Domenico Tiepolo, *Troya Atı'nın Kafileyle Troya'ya Götürülüşü*, yak. 1760. Ulusal Galeri, Londra.
5sl Boğa başı, Mezopotamya, İÖ 3. binyıl. Louvre Müzesi. Foto Marie-Lan Nguyen
5o Monte Alban'da bulunan yeşim mask, Meksika, İÖ 150-İS 100. Ulusal Antropoloji Müzesi, Mexico.
5sğ Turkuaz mozaikten yapılmış çift başlı yılan, Meksika, İS 15.-16. yüzyıllar. British Museum, Londra.
6 Ay ve Jüpiter'in yay burcunda buluşması, Kahire'de bulunan yazma, yak. 1250. Bibliothèque Nationale, Paris, Ms. Arabe 2583, fol. 26v.
7 Dante Gabriel Rossetti, *Pandora*, 1878. Leydi Lever Sanat Galerisi, Liverpool.
8y Kırmızı figürlü Attika kupası, Onesimos, İÖ 500-490. Louvre Müzesi, Paris.
8a Xolotl'un pişmiş kilden heykeli, yak. 1350-1521. Berlin Eyalet Müzeleri. Werner Forman Arşivi/Etnoloji Müzesi, Berlin.
9y Nazarlık, İÖ 6. yüzyıl sonları-4. yüzyıl. Louvre Müzesi, Paris, Acc. Sb 3566. Foto Marie-Lan Nguyen.
9a Klasik çağın takımyıldızları, Codex Barberinianus Latinus 76, İtalyanca, 15. yüzyıl. Vatikan Kütüphanesi, Roma.
10y Vitray, 19. yüzyıl. Canterbury Katedrali. Foto © Painton Cowen.
10a Thoth bir yazıcıyla birlikte, İÖ yak. 1550-1295. Werner Forman Arşivi/Mısır Müzesi, Berlin.
11y "Dişbudak Yggdrasil", Wilhelm Wägner, *Asgard and the Gods* (Londra, 1886), s. 27.
11a Gundestrup Kazanı, İÖ 1. yüzyıl. Ulusal Müze, Kopenhag.
12 Yama ve Samsara, Tibet yazması. Wellcome Kütüphanesi, Londra.
13y Hanuman'ın Lakşmana'ya dağı taşıyışı, Hint yazması. Wellcome Kütüphanesi, Londra.
13a Vişnu (Burma'da Beikthano) Garuda üstünde, Richard Carnac Temple, *The Thirty-Seven Nats*, (Londra, 1906).
14-15 Francesco Botticini, *Meryem'in Göğe Yükselişi*, 1475-76. Ulusal Galeri, Londra.
16 Giulio Romano, *Olympos ve Zeus'un Asi Devleri Yok Edişi*, 1530-32. Te Sarayı, Mantova.
17 Hendrick Goltzius, *İkaros ve Phaethon*, 1588. Gravürler.
18 Tören asası, 19.-20. yüzyıllar. Werner Forman Arşivi/Orta Afrika Kraliyet Müzesi, Tervuren.
19sl Kybele'nin tunç büstü, İS 1. yüzyıl. Cabinet des Médailles, Bibliotheque Nationale, Paris. Foto Marie-Lan Nguyen.
19sğ Baal'in tunç heykelciği, İÖ 14.-12. yüzyıllar, Louvre, Paris. Foto Marie-Lan Nguyen.
20sl Pan Gu resmi, Wang Qi, *Sancai Tuhui*, yak. 1607.
20sğ E. A. Wallis Budge, *Studies in Egyptian Mythology* (Londra, 1904).
21 Mimar sıfatıyla Tanrı, 13. yüzyıl ortaları ve sonları arasına ait tezhip. Katedral Müzesi, Toledo.
22 Bernard Picart, aslı Abraham Jansz van. Diepenbeeck, *Kaos*, 1731. Gravür. Özel koleksiyon/Stapleton Koleksiyonu/Bridgeman Sanat Kütüphanesi.
23 Bir Atina vazosunun parçası, İÖ yak. 400. Ulusal Müze, Napoli.
24 Jan van Kessel ve Hendrik van Balen, *Tanrıların Şöleni*, 17. yüzyıl. Tuval üstüne yağlıboya. Sanat Tarihi Müzesi, Saint-Germain-en-Laye. Foto Giraudon/Bridgeman Sanat Kütüphanesi.
25 Hayvan tanrılar gobleni, Tibet. Wellcome Kütüphanesi, Londra.
26 Sakson ilahları. Oymabaskı. Wellcome Kütüphanesi, Londra.
27 Aslı David Roberts, *Ebu Simbel'de Mısır İlahları*, Mısır, 1846. Renkli taşbaskı. Wellcome Kütüphanesi, Londra.
28 Sri Mariamman Tapınağı, Singapur. Dünya Dinleri Fotoğraf Kütüphanesi/Bridgeman Sanat Kütüphanesi.
29 Japon ev sunağı, 19. yüzyıl. Wellcome Kütüphanesi, Londra.
30sl Aztek "güneş taşı". Ulusal Antropoloji Müzesi, Mexico. Foto Vincent Roux.
30sğ Brahma'nın başı, Kamboçya, 9.-10. yüzyıllar. Guimet Müzesi, Paris. Foto Vassil.
31 Brahma, Hint yazması, 19. yüzyıl. Wellcome Kütüphanesi, Londra.
32 J. Sadeler, aslı Martin de Vos, *Jüpiter Arabasında*, yak. 1595. Gravür. Wellcome Kütüphanesi, Londra.
33sl Peter Paul Rubens, *Saturnus'un Poseidon'u yutuşu*, 1636-38. Museo del Prado, Madrid.
33sğ Michelangelo, *Tanrı'nın Gezegenleri Yaratışı*, 1508-12. Sistine Şapeli, Vatikan, Roma.
34 Coatlicue heykeli, Aztek. Ulusal Antropoloji Müzesi, Mexico. Foto Wolfgang Sauber.
35 Isis Tapınağı'ndaki fresk, Pompeii. Ulusal Arkeoloji Müzesi, Napoli. Foto akg-images/Erich Lessing.
36sl İştar elinde bir silahla, İÖ 2. binyıl başları. Pişmiş toprak. Louvre Müzesi, Paris. Foto Marie-Lan Nguyen.
36sğ Nuwa ve Fuxi, İS 7.-10. yüzyıllar. Sinkiang Uygur Özerk Bölgesi Müzesi.
37sl "Isis", Athanasius Kircher, *Oedipus*, c. 1 (Roma, 1662-64), s. 189.
37sğ Bernard van Orley, *Jüpiter ve Iuno Dünyayı Yönetiyor*, goblen, 16. yüzyıl. Kraliyet Sarayı, Madrid.

38sl Johann Ulrich Kraus, "Cennet", *Historische Bilder Bible* (Augsburg, 1700).
38sğ John Thomson, *Illustrations of China and its People*, c. 4 (Londra, 1873-74).
39 E. Müller-Baden, *The Nine Worlds* (yak. 1900). Foto akg-images.
40 Songzanlin Manastırı'nda bir kozmik *mandala*'yı konu alan duvar resmi, Deqin, Çin, 17. yüzyıl. Foto Monique Pietri/akg-images.
41 Cayna kozmoloji haritası, 19. yüzyıl. Wellcome Kütüphanesi, Londra.
42 Utagawa Kunisada, *Amaterasu'nun Dans Eden Tanrılarca Mağarasından Çıkarılışı*, ağaç baskı, 1857.
43 Güneş, bir Farşça yazmadan, 17.-18. yüzyıllar. Wellcome Kütüphanesi, Londra.
44sl Joseph Heintz (Yaşlı), *Phaethon'un Düşüşü*, 1596. Güzel Sanatlar Müzesi, Leipzig.
44y Gustave Moreau, *Apollon ve Boreas*, yak. 1879. Gustave Moreau Müzesi, Paris.
44a Sol savaş arabasında, Guido Bonatti, *Liber Astronomiae* (Augsburg, 1491).
45 Surya savaş arabasında. Guvaş çizim. Wellcome Kütüphanesi, Londra.
46 Roma sunağı, İS 2. yüzyıl. Louvre Müzesi, Paris. Foto Marie-Lan Nguyen.
47y Tenochtitlan'da bulunan kurban taşı. Büyük Tapınak Müzesi. Foto Vincent Roux.
47a Bir Mezopotamya mührüyle vurulmuş damga, İÖ 1000-539. Werner Forman Arşivi/British Museum, Londra.
48 Tunç ayna, Tang hanedanı. Honolulu Sanat Akademisi.
49 Giovanni Battista Ferrari, *Flora, seu de florum cultura* (Amsterdam, 1646). Wellcome Kütüphanesi, Londra.
50sl Codex Ríos (Codex Vaticanus Latinus A), fol. 54r, yak. 1570-95. Vatikan Kütüphanesi, Roma.
50sğ *Urania's Mirror* (Londra, yak. 1825).
51 Gök cisimlerinin hareketleri üzerine bir Ermenice yazma, yak. 1795. Wellcome Kütüphanesi, Londra.
52sl Bizans burç şeması, 8. yüzyıl. Vatikan Kütüphanesi, Roma, Vat. Gr. 1292, fol. 9.
52sğ Seramik levha, Han hanedanı. Cernuschi Müzesi, Paris. Foto Guillaume Jacquet.
53 Sentinum'daki (Umbria) bir Roma villasında bulunan mozaik, İS yak. 200-250. Glyptothek, Münih. Foto Bibi Saint-Pol.
54y Emilie Kip Baker, *Stories from Northern Myths* (New York, 1914), s. 202 karşısında.
54a Jacopo Tintoretto (tahminen), *Jüpiter ve Semele*, yak. 1545. Ulusal Galeri, Londra.
55 Antonio da Correggio, *Jüpiter ve Io*, yak. 1530. Sanat Tarihi Müzesi, Viyana.

56 Ludovisi Tahtı'nın ön panosu, İÖ yak. 460. Roma Ulusal Müzesi, Roma. Foto G. Dagli Orti/CORBIS.
57 Şiva ve Parvati yıkanıyor, yazma, 19. yüzyıl başları. Çhandigarh Müzesi.
58 Maerten van Heemskerck, *Vulcanus'un Yatakta Yakalanan Mars ile Venüs'ü Tanrılara Gösterişi*, yak. 1536. Sanat Tarihi Müzesi, Viyana. Foto akg-images/Erich Lessing.
59 Vişnu ve Lakşmi'nin Şiva, Parvati ve Ganeşa'yla buluşması. Renkli taşbaskı. Wellcome Kütüphanesi, Londra.
60 Hokusai, İki Tanrı, ağaç baskı, 19. yüzyıl.
61 Madrid Codex (*Codex Tro-Cortesianus*), muhtemelen 17. yüzyıl. Amerika Müzesi, Madrid.
62y Gundestrup Kazanı'ndaki kabartma levha, İS 1. yüzyıl. Ulusal Müze, Kopenhag. Foto akg-images/Erich Lessing.
62a Sandro Botticelli, *Venüs'ün Doğuşu*, yak. 1486. Uffizi Galerisi, Floransa.
63 Mårten Eskil Winge, *Thor'un Devlerle Savaşı*, 1872. Ulusal Müze, Stockholm.
64 Joseph Anton Koch, *Nuh'lu Manzara*, 1803. Pinakothek, Münih.
65 Guy Head, aslı Giovanni Folo, *İris*, 1814. Gravür. Wellcome Kütüphanesi, Londra.
66 George Frederic Watts, *İskandin Gökkuşağı Cini Uldra Şrlalede*, 1884. Özel koleksiyon. Foto Bonhams, Londra/Bridgeman Sanat Kütüphanesi.
67 William Gersham Collingwood, *Kuzey Tanrılarının Gökten İnişi*, 1890. Özel koleksiyon. Foto Bonhams, Londra/Bridgeman Sanat Kütüphanesi.
68 Attika su testisi, İÖ yak. 440-430. Antikenmuseum Basel und Sammlung Ludwig, Basel.
69 Vettii Konağı'ndaki Roma freski, Pompeii.
70sl Eşu, Yoruba heykeli, Nijerya, 1881-1920. Bilim Müzesi, Londra/Wellcome Images.
70y "Çakal", Edward S. Curtis, *Indian Days of the Long Ago* (Yonkers-on-Hudson: World Book Company, 1915), s. 84.
70a "Maui'nin Doğuşu", Wilhelm Dittmer, *Te Tohunga* (Londra, 1907).
71 Louis Huard, "Loki'nin Cezalandırılışı Ceza", A. Ve E. Keary, *The Heroes of Asgard* (Londra: Macmillan, 1900).
72 Gustave Doré, "Cehennemde Zincirlenmiş Devler", Dante, *Inferno* (Paris, 1861), Tam sayfa resim LXV.
73 Luca Giordano, *Kharon'un Kayığı, Uyku, Gece ve Morpheus*, 1684-86. Fresk. Medici-Riccardi Sarayı, Floransa.
74y Ludvig Abelin Schou, "Hel ve Valkyrja'lar", P. Johansen, *Nordisk Oldtid og Dansk Kunst* (Kopenhag, 1907), s. 107.
74a Thomas Stothard, aslı Francesco Bartolozzi, *Cehenneme Giriş*, 1792.

Gravür. Wellcome Kütüphanesi, Londra.

75 Buonamico di Cristofano, aslı Bartolomeo Baldini, *Cehennem*. Gravür. Wellcome Kütüphanesi, Londra.

76 Ernest Hillemacher, *Psykhe Yeraltında*, 1865. Victoria Ulusal Galerisi, Melbourne/Armağan eden Gustave Curcier/Bridgeman Sanat Kütüphanesi

77y Kırmızı figürlü Attika kadehi, İÖ yak. 440-430. British Museum, Londra. Foto Marie-Lan Nguyen.

77a Bel Tapınağı'nda bulunan kabartma, Palmyra, Suriye, İS 1. yüzyıl. Ulusal Müze, Şam. Philippe Maillard/akg-images.

78sl Yıldız cini, Codex Magliabechiano, Aztek, 16. yüzyıl. Ulusal Merkez Kütüphanesi, Floransa.

78ğ Pazuzu'nun tunç heykelciği, Asur, İÖ 1. binyıl. Louvre Müzesi, Paris. Foto PHGCOM.

79 Buda'nın Mara cinlerine karşı koyuşu, 19. yüzyıl. Taşbaskı. Wellcome Kütüphanesi, Londra.

80-81 Durga'nın Manda Ci Şri Deri'nin başını kesişi, 19. yüzyıl. Taşbaskı. Wellcome Kütüphanesi, Londra.

82sl Philip Galle, *Üç Moira*, yak. 1570. Wellcome Kütüphanesi, Londra.

82ğ İngiliz Kolombiyası'ndaki Smith Inlet'te bulunan Kwakiutl ev direği, 19. yüzyıl sonları. Louvre Müzesi, Paris. Foto Marie-Lan Nguyen.

83 İzlanda yazması, 18. yüzyıl. Kraliyet Kütüphanesi, Kopenhag.

84-85 Nestanebtaşeru *Ölüler Kitabı*, İÖ yak. 940. British Museum, Londra.

86 Vitray, 16. yüzyıl. Ste-Madeleine, Troyes. Foto © Painton Cowen.

87 Bedford Dua Kitabı, 15. yüzyıl. British Library, Londra, BL. Add Ms 18850, fol. 15a.

88 Persephone ve Pluto Hades'te, İÖ 5. yüzyıl. Pişmiş toprak. Ulusal Müze, Reggio Calabria, İtalya/Alinari/Bridgeman Sanat Kütüphanesi.

89 Varaha, *Bhagvadgitagianu*'nun bir yazmasından, yak. 1820-1840, fol. 80v. Wellcome Kütüphanesi, Londra.

90 John Martin, *Yaratılış*. Bakır klişe. Wellcome Kütüphanesi, Londra.

91 Pan Gu, çeşitli sınıfların ve mesleklerin resmedildiği bir kitaptan, yak. 1800. British Library, Londra, Ms. Or. 2262, no. 95. Foto akg-images/British Library.

92sl Tenochtitlan'ın kuruluşu, Aztek Codex Mendoza, 1540'ların başları. Bodley Kütüphanesi, Oxford, MS. Arch. Selden. A. 1.

92ğ Delphoi'deki Apollon Tapınağı'nda bulunan *omphalos*, İÖ 5. yüzyıl. Delphoi Müzesi. Foto akg-images/Erich Lessing.

93 Ebstorf Haritası'nın dijital kopyası, Saksonya, 13. yüzyıl. İkinci Dünya Savaşı'nda yok olmuştur.

94 Hokusai, *Meru Dağı*, 19. yüzyıl. Ağaç baskı.

95 Utagawa Kuniyoşi, *Tadatsune ve Fuji Dağı Tanrıçası*, yak. 1844. Ağaç baskı.

96 Totoya Hokkei, *Yama Uba ve Kintoki*,

1850s. Ağaç baskı. Wellcome Kütüphanesi, Londra.

97sl Bernard Picart, *The Principal Histories of Fabulous Antiquity* (Amsterdam, 1733/1754).

97sğ Hanuman'ın şifalı otlar bulunan dağı taşıyışı, 19. yüzyıl. Guvaş. Wellcome Kütüphanesi, Londra.

98 William Miller, aslı John Martin, "Tufan", *Imperial Family Bible* (Glasgow: Blackie & Son, 1844).

99 Codex Fejervary-Mayer, 1521'den önce. Werner Forman Arşivi/Liverpool Müzesi.

100 Gustave Doré, "Tufan", resimli baş sayfa, *The Holy Bible* (Londra: Cassell, yak. 1866).

101 Hans Baldung Grien, *Büyük Tufan*, 1516. Neue Residenz, Bamberg, Almanya/Giraudon/Bridgeman Sanat Kütüphanesi.

102 Attika kupası, İÖ yak. 520. British Museum, Londra.

103 Sirta'da bulunan Roma mozaiği, İS 315-325. Louvre Müzesi, Paris.

104sl Jacob de Gheyn III, *Triton'un Deniz Kabuğunu Üfleyişi*, yak. 1615. Oymabaskı.

104ğ Titian, *Venus Anadyomene*, yak. 1525. Sutherland Dükü Koleksiyonu, ödünç olarak İskoçya Ulusal Galerileri'nde.

105 William Blake, *Behemot ve Leviathan*, 1805. Morgan Kütüphanesi, New York.

106 Utagawa Kuniyoşi, *Prenses Tamatori'nin Ekferha Kralı Tarafından Kovalanışı*, 19. yüzyıl. Ağaç baskı.

107 Varuna, *Bhagvadgitagianu*, 18. yüzyıl. Bibliothèque Nationale, Paris/Archives Charmet/Bridgeman Sanat Kütüphanesi.

108 Hendrik Goltzius, *Pluto*, yak. 1594. Gölge-ışıklı ağaç baskı.

109y Kawanabe Kyosai, *Sanzu Nehri'ni Geçiş*, yak. 1870'ler.

109a Aleksandr Dmitriyeviç Litovçenko, *Kharon'un Ruhları Styks Nehri'nden Geçirişi*, 1861. Rusya Müzesi, St Petersburg.

110 Hapi, bir II. Ramses heykelinin kaidesinden, Luksor, İÖ yak. 1295-1186. Werner Forman Arşivi.

111 Ravi Varma, "Ganj Nehri'nin Gökten İnişi", 20. yüzyıl. Renkli taşbaskı. Wellcome Kütüphanesi, Londra.

112 Lucas Cranach (Yaşlı), *Çeşme Başındaki Nympha*, yak. 1537. Ulusal Sanat Galerisi, Washington, DC.

113y Robert Charles Hope, *The Legendary Lore of the Holy Wells Of England* (Londra, 1893).

113a Olaus Magnus, *Historia de gentibus septentrionalibus* (Roma, 1555).

114y Anton Raphael Mengs, *Apollon ve Musa'lar Parnassos Dağı'nda*, 1761. Villa Albani, Roma.

114a Filippino Lippi'nin Çırağı, *Musa'nın Kayadan Su Çıkarışı*, yak. 1500. Ulusal Galeri, Londra.

115 Paul Gauguin, *Kutsal Pınar, Tatlı Rüyalar (Nave nave moe)*, 1894. Ermitaj, St Petersburg.

116 Wilhelm Dittmer, *Te Tohunga* (Londra, 1907).

117sl Athanasius Kircher, *Mundus Subterraneus* (Amsterdam, 1665).

117sğ Yuan Jiang, *Penglai Adası*, 1708. İpek üstüne guvaş. Saray Müzesi, Pekin.

118 Frans Floris, *Bir Dryas'ın Başı*, 16. yüzyıl ortaları. Ağaç baskı.

119 Antonio del Pollaiuolo, *Apollon ve Daphne*, yak. 1470-80. Ulusal Galeri, Londra.

120sl Kano Tan'yu, *Sumiyoşi Tanrısı*, 17. yüzyıl ortaları. İpek üstüne suluboya. Langen Vakfı, Neuss.

120sğ Bir 17. yüzyıl İzlanda yazmasından. Árni Magnússon Enstitüsü, Rekjavik.

121 Berthold Furtmayer'in tezhibi, Salzburg piskoposunun dua kitabından, 1481. Bavyera Eyalet Kütüphanesi, Münih.

122-23 Georg Balthasar Probst, *Eden Bahçesi*, yak. 1750. Renkli oymabaskı. Wellcome Kütüphanesi, Londra.

124 Pietro da Cortona, *Gümüş Çağı*, yak. 1637-41. Fresk. Pitti Sarayı, Floransa.

125 Vitray, 16. yüzyıl başları. Châlons-en-Champagne Katedrali. Foto © Painton Cowen.

126 "İştar Vazosu", İÖ 2. binyıl başları. Louvre Müzesi, Paris. Foto Marie-Lan Nguyen.

127 Bamberg *Vahiy Kitabı* yazması, 15. yüzyıl. Bibliothèque Nationale, Paris.

128 Escorial Beatus (Ms & II. 5 f° 18), yak. 950-55. San Lorenzo Kraliyet Kütüphanesi, El Escorial.

129 Kobayaşi Eitaku, *İlahi Yetenekle Denizlerde Arayış*, 1880-90. Tomar. Güzel Sanatlar Müzesi, Boston.

130 Lorenz Frølich, "Lif ve Lifthrasir", Karl Gjellerup, *Den ældre Eddas Gudesange* (Kopenhag, 1895), s. 45.

131y Ovidius'un *Metamorphoseon* eserinin bir İngilizce baskısı, 1703. Wellcome Kütüphanesi, Londra.

131a Aslı Hendrik Goltzius, *Prometheus'in İnsanı Gökten Getirdiği Ateşle Canlandırışı*, 1589. Gravür.

132 Étienne Maurice Falconet, *Pygmalion ve Galatea*, 1763. Ermitaj, St Petersburg. Foto Yair Haklai.

133 M. E. Durham, *Medea*, alındığı kaynak *Boy's Own Paper*, 1903.

134 Jean Cousin (Yaşlı), *Eva Prima Pandora*, yak. 1550. Louvre Müzesi, Paris.

135 Louis Gauffier, *Pygmalion ve Galatea*, 1797. Manchester Sanat Galerisi/Bridgeman Sanat Kütüphanesi.

136 Guatemala'nın Peten yöresinde bulunan silindir vazo, İS 593-830. Güzel Sanatlar Müzesi, Boston.

137 Tunç, İÖ 5. yüzyıl ya da İS 13. yüzyıl ile 15. yüzyıl arası. Capitol Müzesi, Roma. Foto Marie-Lan Nguyen.

138 Yoruba figürleri, Nijerya, 1871-1910. Wellcome Kütüphanesi, Londra.

139 Sevr porseleni, yak. 1796. Ulusal Seramik Müzesi, Sevr, inv MNC 469, şimdi British Museum, Londra. Foto Siren-Com.

140 Antionio Pollaiuolo, *Orpheus'un Ölümü*. Fotogravür. Wellcome Kütüphanesi, Londra.

141y Damiano Mazza (tahminen), *Ganymedes'in Tecavüze Uğrayışı*, yak. 1575. Ulusal Galeri, Londra.

141a Peter Paul Rubens, *Jüpiter ve Kallisto*, 1613. Sanat Müzesi, Kastel.

142 Carl Larsson, "Freya Kılığında Thor", Fredrik Sander, *Edda Sämund den vises* (Stockholm, 1893), s. 105.

143 Bartholomeus Spranger, *Herakles ve Omphale*, yak. 1575/80. Sanat Tarihi Müzesi, Viyana. Foto akg-images/Erich Lessing.

144 Gerard de Jode, *Yusuf'un Rüyalarını Açıklayışı*, 1585. Gravür. Wellcome Kütüphanesi, Londra.

145 Pierre-Narcisse Guérin, *Morpheus ve İris*, 1811. Ermitaj, St Petersburg

146 Bir *Bhagvadgitagianu* yazmasından, yak. 1820-40, fol. 24v. Wellcome Kütüphanesi, Londra.

147 Rudolf von Ems'in *World Chronicle* eserinin bir yazmasından.

148y Oymabaskı. Wellcome Kütüphanesi, Londra.

148a *Ajna* (kaş) çakrasında üçüncü göz. Racastan, 18. yüzyıl. Ajit Mukherjee Koleksiyonu.

149 Deyrü'l-Medine'deki bir zanaatkâr mezarından, Teb, İÖ yak. 1298-1187. Mısır Müzesi, Kahire.

150 Ani papirüsü, İÖ yak. 1275. British Museum, Londra.

151sl *Uibang-yuchwi*, bir Çin tıp reçeteleri derlemesi, Japonya, 1861. Wellcome Kütüphanesi, Londra.

151sğ *Âraf'taki ruhlar*, 18. yüzyıl. Wellcome Kütüphanesi, Londra.

152sl *Taş mask*, 15. yüzyıl. Louvre Müzesi, Paris. Foto Marie-Lan Nguyen.

152sğ Kral Harald Taşı, *Jelling*, Doğu Jutland. Foto akg-images/Interfoto.

153 Cornelis Cort, *Bir Kayaya Bağlanmış Prometheus*, 1566. Gravür. Wellcome Kütüphanesi, Londra.

154 Matthias Grünewald, Isenheim Altar Panosu'nun orta kısmı, yak. 1505-15. Unterlinden Müzesi, Colmar/Bridgeman Sanat Kütüphanesi.

155 Kartonpiyer, yak. 1800. Wellcome Kütüphanesi, Londra.

156 Deyrü'l-Medine'deki bir zanaatkâr mezarının duvar resminden, Teb, İÖ yak. 1298-1187. Receb Papirüs Enstitüsü, Kahire.

157sl Peter Nikolai Arbo, *Valkyrja'lar*, 1865. Ulusal Müze, Stockholm.

157sğ Pierre Subleyras, *Kharon'un Yeraltına İnişi*, 18. yüzyıl başları. Louvre Müzesi, Paris.

158 Euphronios krateterinden, İÖ yak. 515. Etrüsk Ulusal Müzesi, Roma.

159 Flaman okulu, 16. yüzyıl. Divit ve çini çizimi. Wellcome Kütüphanesi, Londra.

160 Renkli taşbaskı, 20. yüzyıl. Wellcome Kütüphanesi, Londra.

161 Guvaş, 18. yüzyıl. Wellcome Kütüphanesi, Londra.

162 Deyrü'l-Medine'deki Sennedjem mezarından, Teb, İÖ yak. 1298-1187.

163 Bir alınlık tablası parçası. Prasat Phnom Da, Kamboçya, 12. yüzyıl başları. Guimet Müzesi, Paris. Foto Dominique Dalbiez.

164 Benevenuto Garofalo, *Göğe Yükseliş*, 1510-20. Eski Eserler Ulusal Müzesi, Roma.

165 Renkli ağaç baskı, 1510. Wellcome Kütüphanesi, Londra.

166-67 Peter Paul Rubens, *Paris'in Kararı*, yak. 1632-35. Ulusal Galeri, Londra.

168 Guvaş. Wellcome Kütüphanesi, Londra.

169 Michael van der Gucht, aslı Gerard Hoet, *Kabil'in Habil'i Öldürüşü*. Gravür. Wellcome Kütüphanesi, Londra.

170 Abraham van Diepenbeeck'in eserinden gravür, 1655.

171sl Sekhmet'in koruyucu heykelciği, Mısır, İÖ yak. 900. Bilim Müzesi, Londra/Wellcome Images.

171sğ Kom Ombo Tapınağı'na ait kabartma, Mısır, İÖ 1. yüzyıl.

172sl Bir Attika kupasından, yak. İÖ 470-460. Louvre Müzesi, Paris. Foto Marie-Lan Nguyen.

172sğ Luzón'un kuzey kesiminden, Filipinler, 15. yüzyıl. Louvre Müzesi, Paris. Foto Marie-Lan Nguyen.

173 Navaho battaniyesi, 19. yüzyıl. Werner Forman Arşivi/Schindler Koleksiyonu, New York.

174sl II. Sargon Sarayı'ndaki Gılgamış Kabartması, Dur-Şarrukin, İÖ 8. yüzyıl. Louvre Müzesi, Paris.

174sğ Chen Jiamo, Çin tıbbının efsanevi kurucuları üzerine bir dizinden ağaç baskı, 1573-1620. Wellcome Kütüphanesi, Londra.

175 Gahoe Müzesi, Jongno-gu, Güney Kore/Bridgeman Sanat Kütüphanesi.

176 İpek üstüne resim, yak. 983, Mogao Mağaraları'ndan, Dunhuang, Çin.

177 Gravür, 19. yüzyıl.

178y Hammurabi Yasaları, İÖ yak. 1700. Louvre Müzesi, Paris.

178a Silindir mühürle vurulmuş damga, Akad, İÖ 2340-2180. Werner Forman Arşivi/British Museum, Londra.

179 *Hayatın Geçiciliği Alegorisi*, Flaman renkli gravürü, yak. 1480-90.

180 Kangra okulu, 18. yüzyıl. C. L. Bharany Koleksiyonu, Yeni Delhi.

181 Bir Farsça yazmadan, fol. 23r, 17. yüzyıl sonları. Wellcome Kütüphanesi, Londra.

182 Jacques-Louis David, *Venüs'ün Mars'ı Yatıştırışı*, 1824. Belçika Güzel Sanatlar Kraliyet Müzeleri, Brüksel.

183 Renkli taşbaskı, 20. yüzyıl. Wellcome Kütüphanesi, Londra.

184sl Aztek Xiuhtecuhtli figürü. Werner Forman Arşivi.

184sğ Heykel, Angkor Borei, Kamboçya, 7. yüzyıl. Guimet Müzesi, Paris/Foto Vassil.

185 Charles Etienne Pierre Motte, aslı Louis Thomas Bardel, *Ateş Tanrısı Agni*, 19. yüzyıl. Taşbaskı. Özel koleksiyon/Stapleton Koleksiyonu/Bridgeman Sanat Kütüphanesi.

186 Aztek Codex Borbonicus, 16. yüzyıl başları. Ulusal Meclis Kütüphanesi, Paris.

187 Friedrich Heinrich Fuger, *Prometheus'un İnsanoğluna Ateşi Getirişi*, 1817. Yeni Galeri, Kassel. Hessen Kassel İl Müzeleri/Ute Brunzel/Bridgeman Sanat Kütüphanesi.

188sl Xochipilli heykeli, yak. 1428-1521. Ulusal Antropoloji Müzesi, Mexico.

Foto Michel Zabe/AZA/INAH/ Bridgeman Sanat Kütüphanesi.

188sğ Heykel, 18. yüzyıl. Amerika Doğa Tarihi Müzesi, New York. Foto Boltin Picture Library/Bridgeman Sanat Kütüphanesi.

189 Beyaz zeminli Attika yağdanlığı, Douris, İÖ yak. 500. Cleveland Sanat Müzesi.

190 Francesco Bartolozzi, aslı Bernardino Luti, *Narkissos ve Ekho*, 1791. Oymabaskı. Wellcome Kütüphanesi, Londra.

191 Babürlü üslubunda yazma, Farrukhabad, yak. 1760-70. Bodley Kütüphanesi, Oxford, Pers bı fol. 15y.

192 Tahta çanak, Nijerya, 1880-1920. Bilim Müzesi, Londra/Wellcome Images.

193 Hokusai, *Yedi Talih Tanrısı*, başları 19. yüzyıl. Renkli ağaç baskı.

194 Krişna ve Radha'nın dansı, Racastan minyatürü, 17. yüzyıl.

195 François Gérard, *Lora Kıyısında Ossian'ın Cinleri Uyandırışı*, yak. 1811. Hamburg Sanat Salonu, Hamburg/Bridgeman Sanat Kütüphanesi.

196sl Kuzey gülbezeğinde Kral Davut, Chartres Katedral, 13. yüzyıl. Foto © Painton Cowen.

196sğ Petr Vasileviç Basin, *Marsyas ve Olympos*, 1821. Rusya Müzesi, St Petersburg.

197 Jacques Philippe Lebas, aslı Abraham Hondius, *Orpheus'un Müziğiyle Hayvanları Büyüleyişi*, 18. yüzyıl ortaları. Gravür. Wellcome Kütüphanesi, Londra.

198 Robert von Spalart, "İsis Kültü Törenleri", *Tableau historique des costumes, des moeurs et des usages des principaux peuples de l'antiquité et du moyen âge* (Metz, 1810), s. 113. Wellcome Kütüphanesi, Londra.

199 Michelangelo Merisi da Caravaggio, *İshak'ın Kurban Edilişi*, 1603. Uffizi Galerisi, Floransa.

200 Jan Cossiers, *Jüpiter ve Lykaon*, yak. 1636-38. Museo del Prado, Madrid.

201 Jacob Peter Gowy, *İkaros'un Düşüşü*, 1650. Museo del Prado, Madrid.

202y Charles Grignion, *Sisyphos, İksion ve Tantalos*, 1790. Oymabaskı. Wellcome Kütüphanesi, Londra.

202a Snaptun Taşı, yak. 1000. Moesgård Müzesi, Danimarka.

203 Hieronymus Bosch Çıraği, *Bir Meleğin Bir Ruhu Cehenneme Götürüşü*, yak. 1540. Wellcome Kütüphanesi, Londra.

204-5 Jacopo Tintoretto, *The Creation of the Animals*, yak. 1550. Akademi Galerisi, Venedik/Cameraphoto Arte Venezia/ Bridgeman Sanat Kütüphanesi.

206 Meister Bertram von Minden, *Hayvanların Yaratılışı*, 1383. Hamburg Sanat Salonu, Hamburg.

207 Rodos'ta bulunan beyaz zeminli kupa, İÖ yak. 470. British Museum, Londra.

208 Auş Zamanı yaratıklarını konu alan Avustralya Yerli resmi. Dünya Dinleri Fotoğraf Kütüphanesi/Bridgeman Sanat Kütüphanesi.

209 Hüseyin Vaiz Kâşifî, *Envar-ı süheyli*. British Library, Londra, Add 18579, fol. F 104. Foto akg-images/Erich Lessing.

210 Gri mermerden Roma büstü, yak. İS 131-138. Mısır Gregoryen Müzesi,

Vatikan, Roma. Foto Marie-Lan Nguyen.

211sl Guvaş, 19. yüzyıl. Wellcome Kütüphanesi, Londra.

212 Bir boğayı gösteren tabut resmi, Mısır. British Museum, Londra.

213y William Blake, "Minotauros" resmi, Dante, *Inferno*, yak. 1826-27.

213a Renkli-sırlı tuğla kabartma, İÖ yak. 580. Yakındoğu Müzesi, Eyalet Müzeleri, Berlin.

214 Ravi Varma, *Kutsal İnek*, 19. yüzyıl. Renkli taşbaskı. Wellcome Kütüphanesi, Londra.

215 Vettii Konağı'ndaki Roma freski, Pompeii.

216 Dağ cini Sansin bir kaplanla birlikte. Shinwonsa'da bulunan duvar resmi, Chungchong Namdo, Güney Kore. Foto Mark de Fraeye/Wellcome Images, Londra.

217 Ay Hanım'da bulunan tabak, İÖ 2. yüzyıl. Guimet Müzesi, Paris.

218y Renkli aktarma taşbaskı, 19. yüzyıl. Wellcome Kütüphanesi, Londra.

218al Henry Layards'ın Ninova'da yaptığı çizim, 1845. Wellcome Kütüphanesi, Londra.

218ar Jaguar savaşçı, bir 16. yüzyıl Aztek yazmasından.

219 Guvaş, 19. yüzyıl. Wellcome Kütüphanesi, Londra.

220y Gürleyen Kuş başlığı, Kwakiutl kültürü, Amerika'nın kuzeybatı kıyısı. Antropoloji Müzesi, İngiliz Kolumbiyası Üniversitesi, Vancouver.

220a Prasat Kok Po A'da bulunan üst pervaz, Angkor, Kamboçya, 9. yüzyıl sonları. Guimet Müzesi, Paris. Foto Vassil.

221 *Florentine Codex*'in tıpkıbasımı, 1540-85, c. 2, fol. 21L. İlk başta Biblioteca Medicea-Laurenziana, Floransa.

222 Siyah figürlü kupa, Naukratis, İÖ 560-550. Louvre Müzesi, Paris.

223 Pavni tören davulu. Werner Forman Arşivi/Field Doğa Tarihi Müzesi, Chicago.

224 Christoph Murer, *İlyas Peygamberin Bir Kuzgunca Beslenişi*, 1622. Oymabaskı. Wellcome Kütüphanesi, Londra.

225 Melsted *Edda*'sının bir İzlanda yazmasından, 18. yüzyıl. Árni Magnússon Enstitüsü, Rekjavik/ Bridgeman Sanat Kütüphanesi.

226 San Marco'da bulunan mozaik, Venedik, 12.-13. yüzyıllar. Werner Forman Arşivi.

227y Amerika'nın kuzeybatı kıyısı. Wellcome Kütüphanesi, Londra.

227a Eskimo Tupilaq yontusu, BM 1944 Am 2.6. Angmagssalik, Grönland. Werner Forman Arşivi/British Museum, Londra.

228 Pieter Paul Rubens, *Iuno ve Argos*, 1611. Wallraf-Richartz Müzesi, Köln.

229 Biblia Hispalense, Toledo, 10. yüzyıl. Ulusal Kütüphane, Madrid.

230 Gustave Doré, *Tavus'un Iuno'ya Yakınışı*, yak. 1870. Gravür.

231 Ravi Varma, *Sarasvati Sitarıyla ve Bir Tavusla Birlikte*, 19. yüzyıl. Renkli taşbaskı. Wellcome Kütüphanesi, Londra.

232y *Nu Ölüler Kitabı*'ndan, 18. sülale. British Museum, Londra.

232a Nepal Garuda figürü. Werner Forman Arşivi/Formerly Philip Goldman Koleksiyonu, Londra.

233 Oseberg Arabası'na ait oyma işi, İS 9. yüzyıl. Vikingsskipethuset, Oslo.

234 Guler okulu, *Vişnu, Narayana ve Lakşmi*, yak. 1760. Özel koleksiyon.

235 Vitray, 16. yüzyıl başları. Châlons-en-Champagne Katedrali. Foto © Painton Cowen.

236 Lorenz Frølich, "Thor Keçisinin Topal Olduğunu Fark Ediyor", Karl Gjellerup, *Den ældre Eddas Gudesange* (Kopenhag, 1895), s. 39.

237 Nicolas Poussin, *Pan'ın Zaferi*, 1636. Ulusal Galeri, Londra.

238 Peter Paul Rubens, *Bellerophon'un Kanatlı At Pegasos Üstünde Khimaira'yla Dövüşü*, 1635. Bonnat Müzesi, Bayonne.

239 Gustave Moreau, *Kendi Atlarının Diogenes'i Yiyişi*, 1865. Güzel Sanatlar Müzesi, Rouen/Giraudon/Bridgeman Sanat Kütüphanesi.

240 Firdevsi'nin *Şehname* eserinin bir Farsça yazmasından, 17. yüzyıl. Wellcome Kütüphanesi, Londra.

241sl Nootka kültürüne ait tahta başlık, Vancouver Adası. Werner Forman Arşivi/Denver Art Müzesi.

241sğ Bir İzlanda yazmasından, 18. yüzyıl. Kraliyet Kütüphanesi, Kopenhag.

242 Aztek Macuilxochitl heykeli, yak. 1500. Ulusal Antropoloji Müzesi, Mexico/Foto Michel Zabe/AZA INAH/ Bridgeman Sanat Kütüphanesi.

243y Vişnu *avatar*'ı Kurma, yani tosbağa görünümünde, 19. yüzyıl. Wellcome Kütüphanesi, Londra.

243sğ Seramik heykel. Özel koleksiyon. Foto Boltin Resim Kütüphanesi/ Bridgeman Sanat Kütüphanesi.

243sl Bir kaplumbağa biçimindeki Siu boncuklu nazarlığı, yak. 1880-1920. Wellcome Kütüphanesi, Londra.

244 Sebastian Münster'in *Cosmographia Universalis* eserinin bir baskısından, 16. yüzyıl.

245 Kırmızı figürlü Attika yağdanlığı, yak. İÖ 480-470. Mısır Gregoryen Müzesi, Vatikan, Roma.

246y Giovanni Falconetto, *Mount Helicon with Pegasos, the Centaur Chiron and Fount Hippocrene*, 1520. Fresk. Arco Sarayı, Mantova.

246a Athanasius Kircher, *Mundus Subterraneus* (Amsterdam, 1665).

246sl Pişmiş topraktan *kentauros*, İÖ 8. yüzyıl sonları. Eyalet Eski Eser Koleksiyonları, Münih. Foto Bibi Saint-Pol.

247 *Ani Ölüler Kitabı*'ndan, İÖ yak. 1300. British Museum, Londra.

248 Jacopo Tintoretto, *Minerva ve Arakhne*, yak. 1475-85. Uffizi Galerisi, Floransa.

248sğ Şiva ve Ganeşa, suluboya. Wellcome Kütüphanesi, Londra.

249 Renkli taşbaskı, 1883. Wellcome Kütüphanesi, Londra.

250y Lucas Cranach (Yaşlı), *Diana ve Akteon*, 1518. Wadsworth Atheneum, Hartford, Massachusetts.

250a Odysseus ve Kirke resminnin yeniden kurgulanmış hali.

251 Francesco Parmigianino, *Akteon'nun Ölümü*, 1524. Fresk. Fontanellato Sanvitale Şatosu, Emilia-Romagna.

252-53 Penjab işi suluboya, 19. yüzyıl. Victoria & Albert Müzesi, Londra.

254 Nicolas Poussin, *Altın Buzağıya Tapınma*, 1633-34. Ulusal Galeri, Londra.

255 Mikstek kolyesi, Zaachila, Oaxaca, yak. 1300-1521. Ulusal Antropoloji Müzesi, Mexico. Foto Boltin Resim Kütüphanesi/Bridgeman Sanat Kütüphanesi.

256 Arıcılık, 17. yüzyıl. Oymabaskı. Wellcome Kütüphanesi, Londra.

257 *Aztek Codex Borbonicus*, 16. yüzyıl başları. Ulusal Meclis Kütüphanesi, Paris/Archives Charmet/Bridgeman Sanat Kütüphanesi.

258 Erasmus Quellinus, İason ve Altın Post, 17. yüzyıl. Museo del Prado, Madrid.

259 Jacopo Tintoretto, *Danae*, yak. 1570. Güzel Sanatlar Müzesi, Lyon.

260 Theodor de Bry, *Historia Americae* (Frankfurt, 1602).

261 Nicolas Tournier, *Kral Midas*, 17. yüzyıl başları. Özel koleksiyon.

262 Jacopo Tintoretto, *Samanyolu'nun Kökeni*, yak. 1575. Ulusal Galeri, Londra.

263sl Tregurun Meryem Anası'nın ahşap heykeli, Fransız, 16. yüzyıl. Wellcome Kütüphanesi, Londra.

263sğ Edfu'daki bir tapınağın duvar kabartması, 332-180 İÖ. Carole Reeves/Wellcome Images.

264y *Aztek Codex Magliabechiano*, 16. yüzyıl. Floransa Ulusal Merkez Kütüphanesi, Floransa.

264a Medea'nın İason'a uyguladığı kan boşaltma işlemi. Gravür. Wellcome Kütüphanesi, Londra.

265 Tibet şeması. Wellcome Kütüphanesi, Londra.

266 Vitray, yak. 1180. Canterbury Katedrali. Foto © Painton Cowen.

267 Carl Larsson, "Fenia, Menia ve Değirmen", Fredrik Sander, *Edda Sämund den vises* (Stockholm, 1893), s. 149.

268 C. Faucci, aslı G. B. Cipriani, *Silenos Yanında İki Ayyaşla*, yak. 1768. Gravür. Wellcome Kütüphanesi, Londra.

269 Kyrenia'da bulunan siyah figürlü kâse, İÖ 6. yüzyıl. Cabinet des Médailles, Bibliothèque Nationale, Paris. Foto akg-images/Erich Lessing.

270 Antonio Molinari, *Âdem ile Havva*, 1701-4. Ball Eyalet Üniversiteş Sanat Müzesi, Muncie, Indiana.

271 Fransızca yazma, 15. yüzyıl. Bibliothèque Nationale, Paris. Ms Fr22552 fol. 214v.

272 Renkli taşbaskı, Nathaniel Currier, yak. 1845. Wellcome Kütüphanesi, Londra.

273 Guido Reni, *Hippomenes ve Atalanta*, yak. 1612. Museo del Prado, Madrid/Bridgeman Sanat Kütüphanesi.

274 Piero di Cosimo, *Bakkhos'un Balı Keşfedişi*, yak. 1499. Worcester Sanat Müzesi, Massachusetts/Bridgeman Sanat Kütüphanesi.

275 Lucas Cranach (Yaşlı), *Cupid'in Venüs'e Yakınışı*, yak. 1525. Ulusal Galeri, Londra.

276-77 Guvaş, Farsça yazma. Wellcome Kütüphanesi, Londra.

278 Francesco Zuccarelli, *Kadmos ve Ejderha*, 18. yüzyıl. Özel koleksiyon. Foto Rafael Valls Galerisi, Londra/Bridgeman Sanat Kütüphanesi.

279sl Kırmızı figürlü amfora, İÖ yak. 470. British Museum, Londra.

279sğ Kitagawa Utamaro, *Yamanba ve Kintaro Sakazuki*, 18. yüzyıl. Ağaç baskı.

280 Dört İncil'in bir yazma nüshasından, 17. yüzyıl. British Museum, Londra.

281 Eugène Delacroix, *Akhilleus'un Eğitilişi*, 1838-47. Palais Bourbon, Paris.

282sl Roma mermeri, İS 180-92. Roma Ulusal Müzesi, Roma. Foto Marie-Lan Nguyen.

282y Milos'ta bulunan pişmiş toprak kabartma, İÖ yak. 470-460. Louvre Müzesi, Paris. Foto Marie-Lan Nguyen.

283 Geertgen tot Sint Jans, *Geceleyin Doğum*, yak. 1490. Ulusal Galeri, Londra.

284 Bodhisatta'nın doğuşu, 1853-1885, *Life of the Buddha* (c. 1). Wellcome Kütüphanesi, Londra.

285 Rüstem'in sezaryen kesimle doğuşu, İran, yak. 1500 (?). Wellcome Kütüphanesi, Londra.

286o Apulia'da bulunan kırmızı figürlü tabak, İÖ yak. 350-340. Louvre Müzesi, Paris. Foto Marie-Lan Nguyen.

286 Çevredeki görüntüler: Friedrich Justin Bertuch, *Bilderbuch für Kinder* (Weimar, 1806).

287 Cornelis van Haarlem, *Kadmos'un İki Adamının Bir Ejderha Tarafından Yutuluşu*, 1588. Ulusal Galeri, Londra.

288 Louis Huard, "Dev Suttung ve Cüceler", A. ve E. Keary, *The Heroes of Asgard* (Londra: Macmillan, 1900).

289 William Blake, *Büyük Kızıl Ejderha ve Güneş Sarısı Elbiseli Kadın*, 1809. Brooklyn Sanat Müzesi, New York.

290 Benvenuto Cellini, *Perseus*, 1545-54. Loggia dei Lanzi, Floransa. Foto Marie-Lan Nguyen.

291 Luca Giordano, *Perseus'un Phineas ve Adamlarını Taşa Çevirişi*, 1680'ların başları. Ulusal Galeri, Londra.

292sl Rembrandt van Rijn, *Andromeda*, yak. 1630. Mauritshuis, Lahey.

292sğ Anne-Louis Girodet, *Danae Amor'un Aynasına Bakıyor*, 1798. Güzel Sanatlar Müzesi, Leipzig.

293 Pieter Coecke van Aelst, *Los Honores* goblen dizisi, 1520'ler. Ulusal Miras, Madrid.

294 Kırmızı figürlü Attika kupası, İÖ 440-430. British Museum, Londra. Foto akg-images/Erich Lessing.

295 Salvator Rosa, *Theseus'un Taşı Kaldırışı*, 17. yüzyıl. Özel koleksiyon/Bridgeman Sanat Kütüphanesi.

296 Hendrick Goltzius, *Herakles ve Cacus*, 1588. Gölge-ışıklı ağaç baskı.

297y Roma mermeri, İS 2. yüzyıl. Capitol Müzesi, Roma. Foto Marie-Lan Nguyen.

297a Roma lahdi, İS 3. yüzyıl ortaları. Roma Altemps Sarayı Ulusal Müzesi, Roma. Foto Marie-Lan Nguyen.

298 Bernard van Orley, *Herakles'in Gök Kürelerini Taşıyışı*, goblen, 1530. Kraliyet Sarayı, Madrid.

299 Giovanni Falconetto, *Herakles'in Lerna Suyılanı'nı Öldürüşü*, 1520. Arco Sarayı, Mantova.

300 Siyah figürlü kupa, İÖ 6. yüzyıl ortaları. Ulusal Müze, Tarquinia.

301 Bartholomeus Spranger, *Heracles, Deianeira ve Kentauros Nessos*, yak. 1580-85. Sanat Tarihi Müzesi, Viyana.

302 Fransızca yazma, 14. yüzyıl. Bodley Kütüphanesi, Oxford, MS Douce 199.

303 Fransızca yazma, 15. yüzyıl. Bodley Kütüphanesi, Oxford, MS Douce 383.

304 İzlanda yazması, 18. yüzyıl. Kraliyet Kütüphanesi, Kopenhag.

305y H. E. Freund, *Thor*, 1829. Ny Carlsberg Glyptotek, Kopenhag. Foto Bloodofox.

305sğ Louis Huard, "Dev Skrymir ve Thor", A. ve E. Keary, *The Heroes of Asgard* (Londra: Macmillan, 1900).

306 Kil mask, İÖ 1800-1600. British Museum, Londra. Foto akg-images/Erich Lessing.

307 Tell Halef'te bulunan kabartma, Suriye, İÖ 9. yüzyıl. Arkeoloji Müzesi, Halep.

308 Konrad Dielitz, *Siegfried'in Fafnir'i Öldürüşü*, yak. 1880. Taşbaskı.

309 Setesdal'taki bir kiliseye ait ahşap pano, Norveç, 12. yüzyıl. Oldsaksammlung, Oslo. Foto akg-images/Erich Lessing.

310-11 Sahib Din, *Lanka'daki Çarpışma*, guvaş, 1649-53. British Library, Londra, Add. MS 15297 (1), fol. 91.

312 Fransızca yazma, 15. yüzyıl. Bodley Kütüphanesi, Oxford, MS Douce 353.

313 Siyah figürlü amfora, Eksekias, İÖ yak. 540-530. British Museum, Londra.

314 Musa'nın Kızıldeniz'i ikiye ayırışı, yazma, 13. yüzyıl.

315 François Xavier Fabre, *Oedipus ve Sfenks*, yak. 1806-8. Dahesh Sanat Müzesi, New York/Bridgeman Sanat Kütüphanesi.

316y Mjölnir biçiminde gümüş nazarlık, İsveç, 10. yüzyıl. Devlet Tarih Müzesi, Stockholm.

316sğ Batıya Yolcukuk'un bir Çince baskısı, 17. yüzyıl. Ağaç baskı.

317 Fransızca yazma, 14. yüzyıl. British Library, Londra, MS Add 10294 f94.

318 Jean-François Detroy, *Altın Post'un Ele Geçirilişi*, 1742-43. Ulusal Galeri, Londra.

319 Lorenzo Costa, *Argonaut'ların Kolkhis'ten Kaçışı*, yak. 1480-90. Kent Müzesi, Padova.

320 Gandhara'da bulunan kabartma, Pakistan, İS 2.-3. yüzyıllar. British Museum, Londra.

321 Federico Barocci, *Aineias'ın Troya'dan Kaçışı*, 1608. Borghese Galerisi, Roma.

322sl Fransızca yazma, 15. yüzyılın üçüncü çeyreği. Bodley Kütüphanesi, Oxford, MS Douce 353.

322sğ Vergilius'un *Aeneis* eserinin bir yazması, Apollonio di Giovanni di Tommaso, 15. yüzyıl ortaları. Riccardi Kütüphanesi, Floransa, MS Ricyak. 492.

323 Siyah figürlü amfora, Eksekias, İÖ yak. 540-530. Ulusal Müzesi, Roma.

324 Giovanni Battista Tiepolo, *Akhilleus'u Annesince Teselli Edilişi*, 1757. Villa Valmarana, Vicenza.

325 Jacques-Louis David, *Akhilleus'un Kızgınlığı*, 1825. Kimbell Sanat Müzesi, Fort Worth, Texas.

326 Roma mozaiği, İS 2. yüzyıl. Bardo Müzesi, Tunus.

327 Roma mozaiği, 3. yüzyıl sonları-4. yüzyıl başları. Piazza Armerina, Sicilya.

328 Johann Heinrich Füssli, *Tiresias'ın Odysseus'a Görünüşü*, yak. 1780-85. Albertina, Viyana.

329 Gustave Doré, "Odysseus'un Yol Arkadaşlarını Hayvana Dönüştülüşü", *Fables of La Fontaine* (Paris, 1867).

330y Francesco Maffei, *Odysseus ve Kirke*, 1660. Akademi Galerisi, Venedik.

330a Pieter Lastman, *Odysseus ve Nausikaa*, 1619. Alte Pinakothek, Münih.

331 Pintoricchio, *Penelope Talipleriyle Birlikte*, yak. 1509. Ulusal Galeri, Londra.

332 J. J. Derghi, *İsrailoğullarının Yaban Ortamdaki Kampı*, 1866. Wellcome Kütüphanesi, Londra.

333 Renkli oymabaskı, 1775-79. Wellcome Kütüphanesi, Londra.

334-35 Hokusai, *Ehon Saiyuki*, 1837. Ağaç baskılar.

336 Vergilius'un *Aeneis* eserinden sahne, 17. yüzyıl. Oymabaskı. Wellcome Kütüphanesi, Londra.

337 Dante'nin İlahi Komedya'sının İtalyanca yazması, 15. yüzyıl. Vatikan Kütüphanesi, Roma.

338 Wilhelm Hauschild, *Kutsal Kâse Tapınağı*, 1878. Neuschwanstein Şatosu, Bavyera.

339 *Queste del Saint Graal* kitabının bir Fransızca yazması, yak. 1470. Bibliothèque Nationale, Paris, Ms.Fr. 112 f.5.

DİZİN
||||||||||||||||

İtalik sayfa numaraları
görsel malzemelere
göndermedir.

A
Aaru 157
adalar *116, 117-21*
Âdem 118, *122-23*, 125,
128, 132, 140, 152, 171,
270, 338
Adonis 118
Ægir 102
Aeneis bkz. Vergilius
Aeon 53
Aesir 25, 38, 82, 168
Afrika mitolojisi 9, 11,
70, 243
Agamemnon 325
Agni 184, *184, 185*, 199,
343
ağaç cinleri 82, 118, 120;
ayrıca bkz. dryas'lar
ağaçlar 118-19
Ahau Kin 217
Ah-Muzen-Cab 274
Ahura Mazda 42, 137, 343
Aias 281, 323
Aietes 318
Aigeos 282, 294
Aineias 137, 180, 313, 321,
338, 342
Aiolia 117
Aiolos 61, 117, 326
Aither 17, 20
Aizen Myo-o 188
Akheron Nehri 108, 339
Akhilleus 108, 171, 274,
281, *281*, 313, 320, 323-25
Akrisios 290
Akteon *250, 251*
Akupara 243
Alkmene 297
Alkyone 248
altın 255, 255, 258-61
altın buzağı 177, 210, 254
Altın Çağı 125, 255
Altın Çağı 129
Altın Post 132, 258, *258*,
312, 313, 318, *318*
Amalthea 209, 236
Amaterasu 42, *42*, 61,
174, 338
Amazonlar 132, 314
Amerika Yerli mitolojisi
9, 18, 19, 25, 47, 50, 52,
70, 87, 90, 206, 209,
220, 224, 241, 243,
344; Güney Amerika
mitolojisi 9, 25, 125,
192, 209, 258, 340; Orta
Amerika mitolojisi
9, 340
Ammit 244, 247
Amphitrite 8, *102, 103*
Amphitryon 137
amrita 162, 263
ana tanrıçalar 34-37
Anadolu mitolojisi 88

Ananse 70
Ananta *bkz.* Şeşa
Andromeda 290, *292*
Angkor Wat 95
Angra Mainyu 137
Ani 150
Antaios 297
Antinous 210
Anu 38, 79, 210
Anubis 150, 157, *163*, 341
Anzu kuşu 220
Ao 243
Apep 20, 42, 341
Aphrodite 25, 54, *56, 56*,
58, *102*, 104, 118, 132,
166-67, 188, 207, 209,
210, 270, 271, 320; *ayrıca
bkz.* Venüs
Apis 210, *210*
Apollon 25, 42, 44, 112,
114, 117, 119, 171, 194,
228, 232
Aquae Sulis 112
Araf 151, 158
Arakhne 248
Ararat Dağı 87
Ares 25, 56, 58, 180, *258*;
ayrıca bkz. Mars
Argo 281, 318, *319*
Argonaut'lar 297, 314,
318, *318*
Argos 228, *228*
Ariadne 281, *284*
Ariccia 118
Artemis (Diana) 9, 25, 47,
117, 140, 141, 171, 250
Arthur, Kral 7, 95, 117,
281, 302, 316, 317, 340,
341
Aruna 45
Asgard 19, 38, 158
aslanlar *bkz.* kaplanlar,
aslanlar ve jaguarlar
Asphodel Çayırları 158
aşk ve güzellik 188-91
Atalanta 189, 209, 248,
270, 273
ateş 184-87, 255, *256*
Athena 25, 132, 166-67,
180, 188, 270, 271, 290
Atina 171, 281, 294
Atlantis *117*, 117
atlar 238-39; *ayrıca bkz.*
Diomedes; Pegasos;
Sleipnir
Atlas 297, *298*
Atropos *bkz.* Moira'lar
Atum 341
Audumla 209, 210, 256,
266
Augias ahırları 297, *297*
Avalon 117, 316
Avustralya Yerli mitolojisi
9, 25, 67, 87, 125, 208,
255, 340
axis mundi 88, 92-93
ay 19, 26, 46, 47-49
Ay Tavşanı *47*, 48

Ayers Kayası *bkz.* Uluru
Aynular 206
Aztek: ateş töreni *186*;
mitoloji 10, 18, 19, 34,
42, 47, 50, *50*, 54, 61, 67,
92, 99, 125, 126, 137, 152,
180, 184, 188, 194, 199,
217, *218*, 220, 243, 264,
264, 266, 269; takvim
30; tapınaklar 95

B
Baal 19, 30, 61
Babil 61, 178, 343;
zigguratlar 95
Babil mitolojisi 93, 171, 200
Bakkhos 258, 269, 274;
ayrıca bkz. Dionysos
bal 256, 274-75
Balder 70, 126, 162, 338
Balıkçı Kral 340
Bastet 171, 217
başkalaşım 248-51
Bath 112
Batıya Yolculuk 313, *314*,
316, *316*, 336-37
Baugi 83
Behemot 105
Bellerophon 238, *238*
Beowulf 279, 313
Beş Güneş 125
Beyaz Cin 276-77
Beyaz Kaplan 52
Bifröst 19, 39, 67
Bilgi Ağacı 118, 270
Binbir Gece Masalları 191
Blake, William 105, 289
Borobudur, tapınak 95
Bosphoros Nehri 210
Botticelli, Sandro 61, *62*
Botticini, Francesco *14-15*
Brahma 20, 25, 30, 30, 31,
38, 40, 108, 146, 184, 343
Bremen'li Adam 112
Brezilya 184
Briseis 325
Brokk 202
Brünnhilde 54
Buda 79, 118, 172, 274,
279, 282, 337
budalalık 200-1
Budist mitoloji 8, 28, 38,
92, 95, 108, 118, 160,
180, 188
Bulul 172, *172*
burçlar 6, 22, 52, 53
buz 256
Buz Devler 18, 82
Büyük İskender 11, 281
Büyük Kızıl Ejderha 289

C
Cacus 296
Camelot 302, *303*
Camlann 302
Campbell, Joseph, *Bin
Suratlı Kahraman* 8, 10,
13, 279

canavarlar 286-89, 337
Cava 95
Cayna mitolojisi 38, 41
Cebrail 68, 282
cehennem 73, 79, 162,
202, 338, 339
cennet 17, 38, *38*; *ayrıca
bkz.* Asgard
cennetin dört nehri 88,
108, 210
Ceres 168
ceza 202-3
Chang'e 47, 48
Cimmu 174
cinler 88
cinler 9, *78*, 79-81, 162,
191, 244, 265, 286, 337;
ayrıca bkz. Ammit;
Beyaz Cin; Mahişasura
cinsellik 140-43
Cipactli 99
Coatlicue 34, *34*, 42, 47
Correggio 55
Coventina 113
Coyolxauhqui *47*, 47
Cupid 182, 275
cüceler 202
Çakal 18, 70, *70*, 209,
224, 241
Çin mitolojisi 9, 11, 19, 34,
37, 52, 87, 88, 90, 117,
157, 174, 192, 194, 199,
217, 243, 244, 314, 341

D
dağlar 94, *95*-97
Daidalos 200, 210, 215
Danae 54, 259, 290, 292
Dangun 95, 174, 175
Dante 339
Danyal 217
Daphne 119
Davut, Kral 194, *196*, 282
Dawon 217
Deianeira 301
Delos 117
Delphoi 92; Delphoi
Kâhini 112, 140, 192
Demeter 25, 88, 168, 172
demir 255
Demir Çağı 125, 129
denizler 102-7
Deukalion 10, 99, 129, 131
Devi 34, 81, 180
Devler 20, 23, 72, 82, 140,
286, 288
Di Ku 194
Diana 9, 118; *ayrıca bkz.*
Artemis
Dicle Nehri 108
Diktys 290
Diomedes 239, 297, *297*
Dionysos 25, 54, *171*,
209, 269
Dioskuroi *bkz.* Kastor ile
Polydeukes
diriliş 162-65
Doğu Denizi'nin Ejderha
Kralı 316, 337

Domuzcuk 337
Donar 61
Dört Rüzgâr 61
Draco 50, *50*
druid'ler 118
dryas'lar 82, 88, *118*;
ayrıca bkz. ağaç cinleri;
nympha'lar
Duat 156
Dumuzi 88
Durga 80-81, 180, *180*,
183, 217, *218*, 264
Dünya Yılanı *bkz.*
Midgard Yılanı
Düş Zamanı 87, 209
Dzonoqwa 82

E
Ea *bkz.* Enki
Eden Bahçesi 88, 108, 125,
129, 140, 209, 232
Ege Denizi 117, 294
Ehecatl 61
ejderhalar 9, 184, 244,
244, 246, 264, 278, 279,
281, 286, 287, 308, *308*,
318; *ayrıca bkz.* Büyük
Kızıl Ejderha; Fafnir;
Georgios, Aziz; Lotan
Ekho 190
El Dorado 255, *258*, 260
elma 270-73
Elysion Çayırları 158
Endymion 47, 144, *145*
Enkelados 97
Enki (Ea) 99, 129, *178*, 343
Enkidu 281, 306, 338
Enlil 25, 38, 47, 99, 177
Enuma Eliş 10, 38, 61
Erda 54
Erebos 20
Ereşkigal 73, 79
Eris 188, 270
Eros 20, 171, 188, *189*, 342
Erymanthos
Yabandomuzu 297, *297*
Esav 148
Eşu 70, *70*
Etana 220
Etiyopya 314
Etna Dağı 97
Europa 54, 210
Eurydike 338
Eurystheus 297
Excalibur 117, 316, 317
Eyüp 255
Ezop 243

F
Fafnir 308, *308*
Felsefe Taşı 256
Fenia 267
Fenrir 42, 70, 158, 241, *241*
Feramurz 240
Fırat Nehri 108
Filipinler 172
Finlandiya 206
Fortuna 192

Fransa 95
Frazer, J. P., *Altın Dal*
10, 118
Freyr 25
Frigg 26, 54
Fuji Dağı 95; tanrıça 95
Fujin 61
Fuxi 34, 36, 174, *174*, 194

G
Gaia 17, 20, 53, 87, 342
Gal mitolojisi 11, 220
Galahad, Sör 340
Ganeşa 80, 206, 209, 248
Ganga 108, 111
Ganj Nehri 108, 111
Ganymedes 54, 140, *141*,
220
Garuda 13, 220, *220*, 232
Gauguin, Paul 115
Gawain 302
Geb 84-85, 87, 341
Georgios, Aziz 280, 286
Geras 279
Germen mitolojisi 19, 118,
162, 308
Geryoneses'in Sığırları
297
Gılgamış 7, 10, 174, *174*,
210, 279, 281, 286, 306-7,
314; *Gılgamış Destanı* 8,
19, 64, 99, 210, 313, 338
Gihon Nehri 108
Ginnungagap 256
Girit 200, 210, 236, 244,
255, 294, 318
Girit Boğası 297, *297*
Golem 255
Gong Gong 243
Gök Baba 87
Gök Boğası 210, 306
gökkuşağı 64-67
Gökmavisi Ejderha 52
Gölün Hanımı 302, 316,
317
göz 148-49
Gram 308
Grendel 279
grifon 244, 286
Grottasönger 266
Gucumatz 125, 129
Gundestrup Kazanı 11
Gunther, Kral 194, 233
Gümüş Çağı 124, 129
güneş 19, 26, 42-45
Güneydoğu Asya
mitolojisi 88
Gürcistan 318
Gürleyen Kuş 19, 220,
220, 223

H
Habil 126, 169, 199, 224
Hachiman 180
Hades: tanrı (Pluto) 30,
73, *77*, 88, 88, 102, 108;
yeraltı 77, 297, 338
Ham 269